JN056460

大霊界　天界道シリーズ④

# 神と悪魔

悪魔に打ち勝つ
真の神の力！

隈本正二郎
Kumamoto Shojiro

展望社

# はじめに

私たち人類は大霊界のなかにある宇宙、そしてそのなかにある地球という未知の天体の上で、大自然に抱かれて生きています。大自然は私たちに衣食住の基盤をもたらし、その美しさで心を満たしてくれますが、ときに猛威を振るう台風や大地震などの大災害を人類にもたらすこともあります。

普段は心地よく頬をなでて吹き抜ける風も、そのエネルギーが強大となれば嵐となり、穏やかな雨は植物を生き生きと育てる慈雨となりますが、ひとたび豪雨となればさまざまな生物に甚大な被害を及ぼします。地球の内部にはマグマが渦巻いていますから、いつ何時火山の噴火があるかもしれず、大地そのものが大きく揺れ動く地震もあれば、それによって津波も引き起こされます。

この強大な破壊力を持つ大自然のエネルギーは、どこから生まれるのでしょうか。いえ、生まれるのではなく、大自然の営みそのものがエネルギーであり、地球という天体そのもの、大宇宙そのものもエネルギー体なのです。

大宇宙はいまからおよそ百五十億年前、ビッグバンという大爆発によって誕生したと言われています。過去、数百億年のあいだ巨大な空間に満ちていた物質（元素）やガス、また種々のエネルギーのすべてが一ヵ所に凝縮されて突然、大爆発を起こし、それによって現在の大宇宙の基礎ができあがったというのです。ビッグバンは大宇宙誕生の瞬間であり、そのエネルギーの果てしない作用によってあらゆる天体が生み出されてきたのです。

日本神霊学研究会（日神会）初代会長 隈本確は、この極めて強大な爆発について、なんらかの意志が働いて起きたものであると考えました。この大宇宙ははるか二百億年以上も昔になんらかの存在が構成し、約百五十億年前にその基礎を創り上げ、そして現在に至るまでその存在が大宇宙の営みを維持し続けているに違いないと……。

そのなんらかの存在が大霊界の「核の超神霊」ともいうべき「素の神」、日神会の祖神であられる天地創造「素の神」なのです。

天地創造「素の神」は、ビッグバンによる大宇宙の基礎を築かれたあと、宇宙のなかに銀河系、そしてそのなかに太陽や地球をつくられました。そしてそれ以降、地球上にさまざまな植物や動物を誕生させ、約一千万年前に人類の祖ともいえる霊長類を、さらにそこから八百万年近い歳月を経て、最初のヒト（人類）をつくられ、その精神世界に神の心、動物の心、悪魔の心をお授けになりました。

つまり私たち人間は、神の子でありながらも動物の心、悪魔の心を持った存在として誕生したのです。そして動物の心、悪魔の心が発した悪のエネルギーが、日々の生活のなかでさまざまな問題を引き起こしています。

目に見えないものは信じないという方は別として、神仏の存在を否定しない人たちには周知のことと思いますが、神のエネルギーは目に見えませんが、確実に存在しているのです。そして、人の心の動きも目には見えませんが、つねに心はさまざまな想いを抱いています。その心からもエネルギーは発せられているのです。

大自然から与えられる物理的なエネルギー、神が放射されるエネルギー、霊たちが発する想いのエネルギー、そして私たち人間の心が発する喜怒哀楽のエネルギー……。

じつは、私たちの心のエネルギーは、私たちが意識するしないにかかわらず、またその心の善悪にかかわらず、外部に向かって放射されています。それが特定の相手に向けた想いのエネルギーである場合、それを私たちは「念」と呼んでいるのですが、これには充分に注意をする必要があります。なぜかというと、ひとたび念が放射されると、それを受けた相手だけではなく、念を発した自分にも危害が及ぶ可能性があるからなのです。

さらに気をつけなければならないのが、人類の長い歴史のなかで、私たち人間の悪想念がつくりだした悪魔の存在です。

目に見えないものから発せられる目に見えないエネルギー……。

本書ではその働きとともに、悪のエネルギーが心身に及ぼす影響、その被害から自分を、そして大切な人を守るための方法などについて述べていきたいと思います。

ご自身の心を省みて、自分はどうも運が悪いとか、最近どうも心が暗くなってしかたがないとか、イライラして落ち着かないとか、そうしたいろいろな悩みを抱いている方は、ぜひ本書を最後までお読みいただきたいと思います。きっと新しい発見があるはずです。暗く落ち込んだマイナスの心を切り替えて、皆様が幸せな人生を送れますよう祈っております。

令和五年十二月

日本神霊学研究会　神主聖師教　隈本聖二郎

# 神と悪魔

## 目次

## Part 3 悪霊を呼び込む自念障害



## Part 4 霊媒体質と悪魔の存在

## Part 5 神のエネルギーを戴いて生きる

Part 1

# エネルギー渦巻く大霊界

## エネルギーとはなにか

さて、本書のテーマである「念」や「霊媒体質」、「神」や「悪魔」について述べる前に、まず「エネルギー」についてお話しいたしましょう。

以前から世界中で大きな問題となっている地球温暖化。温室効果ガスといわれる二酸化炭素の排出を減少させる取り組みが多くの国でなされていますが、われわれが住む地球の温暖化は留まるところを知らず、逆に突き進んでいるようです。なぜかというと、現代の私たちは石炭や石油、天然ガスなどを使って発生させる電力エネルギーなしには生活できないからです。一週間まったく、すべての電気がない状態を想像していただければおわかりいただけるでしょう。

物質を燃焼させると、当然ながら二酸化炭素が排出されます。原子力発電では二酸化炭素は排出されませんが、これには核分裂反応によって放射能を発生させるウラニウムを使用しますので、先年の津波による原子力発電所の事故で明らかになったように、私たち人類に被曝(ひばく)という甚大な被害をもたらす危険性が伴います。

自動車を走らせればガソリンの燃焼爆発によって二酸化炭素が発生しますし、私たちが日常生活でその利便性を与えられているさまざまな工業製品も、電気エネルギーなしには生産されません。

それよりなにより私たち動物は、呼吸によって酸素を取り入れ、二酸化炭素を排出しています。逆に草や木などの植物は、空中から二酸化炭素を吸収して酸素を排出してくれますが、大規模な都市開発などによって森林はどんどん破壊され砂漠化し、せっかく私たちに酸素を与えてくれる植物は減少の一途をたどっています。温暖化によって南極や北極の氷はどんどん溶け出して大洋の水位を高め、小さな島国では海が少しずつ陸地を侵してくるといったことも現実に起こっているのです。

このまま時代が進んでいくと、私たちが住む地球はいったいどうなっていくのでしょうか。人類は自分たちの手で自分たちの首を絞めているのではないでしょうか。そこで各国で二酸化炭素を排出しない風力や太陽光などといった代替エネルギーの開発が進められ、すでにそれらのエネルギーによる発電も行われています。

では、そもそもエネルギーとはいったいどういうものだと思いますか？

辞書をひもといてみると、エネルギーとは「活動の源として体内に保持する力。

活気。精力また物理学的な仕事をなし得る諸量（運動エネルギー、位置エネルギーなど）の総称。物体が力学的仕事をなし得る能力の意味であったが、その後、熱・光・電磁気やさらに質量までもエネルギーの一形態であることが明らかにされた（『広辞苑』）」とあります。

「活動の源として体内に保持する力」といえば、私たち人間が意志を持って活動する力のもとということになるでしょう。また、私たちが意識しなくとも、眠っているときでも、心臓は絶え間なく働いて（活動エネルギー）全身に血液を循環させ、肺も絶えず働き、私たちが必要とする酸素を取り込んで不要な二酸化炭素などを排出する動き（大循環活動エネルギー）を続けています。肝臓もすい臓も腎臓もその働きを止めることはありません。当然ながら、それらの活動を司（つかさど）っている脳細胞がその働き（総合中枢エネルギー活動）を停止することもありません。

辞書にもあったように、当初は物理的な仕事を成し遂げる運動エネルギーや位置エネルギーだけを指していたようです。位置エネルギーとは、例えば高いところにある物体が落下したとして、そこにはエネルギーが発生するわけで、その力を秘めた物体はエネルギー体であるということでしょう。その後、科学の進歩によって熱や光や電磁気、さらには静止している物体が持つ質量（簡単に言えば物の重さ）までもエネルギーであることが明らかになったというのです。

これは日本神霊学研究会（以後、日神会と略す）の初代会長 隈本確が、かつてその著作のなかで述べていることですが、例えば、ここに一握りの砂があったとして、その砂粒にはマグネシウム、ホウ素、チタン、トリウム、炭素、酸素など、多くの元素があり、原子があって、原子核のまわりを電子がグルグル回っています。私たちの目にはただの砂粒に見えても、そのなかでは目まぐるしくエネルギー活動が繰り広げられているわけです。質量もエネルギーであるというのは、そういうことではないでしょうか。

こうしてみてきますと、大自然そのもの、地球という天体そのもの、いえ、大宇宙そのものがエネルギー体であるということになります。

では、私たちが持つ意志の力、頭脳の力、喜怒哀楽といわれる心の動き、これらもエネルギーなのでしょうか。

そうです、日々揺れ動く私たちの心のなかに秘められているさまざまな想い、それも大きな力を持つ不思議なエネルギーを放射しているのです。そしてそのエネルギーが善くも悪くもなんらかの作用を引き起こし、他者の想いや健康に影響を与えているのです。

## ビッグバンによって始まった大宇宙の営み

先ほど砂粒のエネルギーについて述べましたが、原子という極微の世界で原子核のまわりを電子がグルグルと回っているように、私たちの住む地球は太陽のまわりを約一年かけて回っており、この地球のまわりには満ちては欠ける月が片面のみを私たちに見せながら休みなく回っています。

さらに太陽系を含む銀河系をはじめ、その他、数え切れないほど存在する銀河系に類した天体も、銀河系と同じように巨大な渦を巻いて大回転運動を続けています。現代科学で解明されている範囲だけでも、これらの天体は一億以上もあり、しかもそれらすべての天体系を含む大宇宙は現在もなお膨張し続けているというのです。なんと不可思議なことでしょう。こうした人知の及ばない広大なる大宇宙は、いったいどういうエネルギーで成り立っているのでしょうか。

「ビッグバン」という物理学用語は、皆様すでにご存知だと思います。ビッグバン、すなわち大爆発という意味ですね。私たち人類も微小なる一員として生活しているこの大宇宙は、いまからおよそ百五十億年前に誕生したと科学ではいわれています。過去数百億年のあいだ巨大な空間に満ちていた物質（元素）やガス、また種々のエネルギーのすべてが一ヵ所に凝縮されて突然、大爆発を起こし、それによって現在の大宇宙の基礎ができあがったというのです。ビッグバンは大宇宙誕生の瞬間であり、そのエネルギーの果てしない作用によってあらゆる天体が生み出されてきたのです。

そのビッグバンはなぜ起こったのでしょうか。

日神会初代会長 隈本確は、この極めて強大な爆発を偶発的なものとはとても思えない、そこにはなんらかの意志が働いていたに違いないと考えました。この大宇宙ははるか二百億年以上も昔になんらかの存在が構成し、約百五十億年前にその基礎を創り上げ、そして現在に至るまでその存在が大宇宙の営みを維持し続けているに違いない、そう考えたのでした。

では、そのなんらかの存在とはいったいなんなのでしょうか。

はっきりと申し上げましょう。

それは、大宇宙、そして霊界をも含む大霊界の「核の超神霊」ともいうべき「素の神」、日神会の祖神である天地創造「素の神」なのです。

天地創造「素の神」は、ビッグバンによって宇宙の基礎を築かれたあと、宇宙のなかに太陽や地球をつくられました。地球の発生は今から約四十六億年前。以降、地球上にはさまざまな植物や動物が誕生していきました。そうして今から約一千万年前に人類の祖ともいえる霊長類が、さらにそこから八百万年近い歳月を経て、最初のヒト（人類）が生まれたのです。

人類の祖である霊長類は、それまで地球上に誕生していた動物、それまで出現していたサルや類人猿とは比べようもない大きな脳を持ち、ほかの動物が持っていない心、精神世界を授けられていたのです。それだけではありません。神は、その心、精神世界に魂（神の分け御魂）の種をまかれ、その魂のなかに「神の心」「動物の心」「悪魔の心」をお与えになられたのです。

つまり私たち人類は、神の子でありながらも動物の心、悪魔の心を持った存在として誕生したのです。そして、その動物の心、悪魔の心が発した悪のエネルギーが、日々の生活のなかでさまざまな問題を引き起こしているのです。

## すべての事象はエネルギーの連鎖によって生まれる

私たち人類は、他の動物や植物を食することでさまざまな栄養と生体エネルギーを採取し、そのエネルギーによって日々の活動を行っています。同じようにライオンやヒツジ、牛や犬猫といったほ乳類や、空を飛ぶ鳥類、海に生息する魚介類や藻類、あるいは大地に根を張る松や杉、梅や桜といった樹木、きれいな花を咲かせる花き類、そして米や麦、野菜や果物といった植物も、みな他の動植物の栄養素を吸収し、それらのエネルギーを体内で燃焼させることによって生命を維持しているのです。

また、クジラなど海に棲むほ乳類や小さな魚類は、海に大量に発生している微小なプランクトンを食して生きていますが、その小さな魚類はさらに大きな魚類や肉食の鳥類によって食され、その大きな魚類は陸地に住む白熊や犬や猫など、そして人類が生きるための元となる食物となりエネルギーを供給しています。

人類は雑食ですからあらゆる動植物を食しますが、同じような雑食動物、草食動物は地に生える植物を食べて生命を維持しています。また、動物も植物もその死後は海や大地の栄養分となって蓄積され、水中ではプランクトンの餌、陸地では植物の肥料となってそれぞれの生命を育んでいきます。

このようにすべての生物（生命体）は、それぞれが食し食され、あるいは肥料となるというエネルギーの連鎖によって、いわば共存、共栄していると言えます。弱肉強食と言われるように、殺し合うことで生かし合うという、どうにも不条理な連鎖、そうした食物連鎖によって生物はその生命をバランスよく維持しているのです。

すべての物事には原因と結果があります。例えば、大昔は自然に発生すると思われていた森林火災も、実際には生い茂っている木々がこすれ合うことで燃え広がるために大火災となることがわかっています。そして、燃え続ける火に消火剤を散布することで燃焼に必要な酸素を遮断し、水をかけることによって熱を冷却し、その結果、火は消し止めることができます。

身近な例でいうと、子どもたちの蹴ったサッカーボールが近所の家の窓に当たって窓ガラスが割れ、そのガラスの破片で怪我をしたとか、一台の車が運転手のミスで暴走し、次々と多重衝突を起こすとか、一つの物事が次々と新しい結果を生み出していくことは、日常生活にも多々あることです。

原因があって結果がある。その作用はすべてエネルギーの働きです。ですから、この世界は良しも悪しも、エネルギー連鎖によって成り立っているとも言えるでしょう。

熱帯で発生した低気圧が北上し、勢力を増して台風となり、台湾や日本、中国や朝鮮半島に猛威を振るって大災害を引き起こす。巨大な地震が甚大な被害をもたらす。豪雨によって山崩れが起こり、山林や人家を破壊する。これもまた大自然のエネルギーによって起こされるものです。宇宙に存在する小天体が他の天体の引力に負けて、隕石となって衝突する。そこにも強大なエネルギーが発生します。

大宇宙に存在している銀河系のような天体は、果てしなく渦を巻きそのエネルギー活動を広げていますし、太陽系では地球をはじめとする惑星が、各々の引力のつり合いによって太陽のまわりを回り続け、太陽もつねに活動して熱や光を放射していますが、いずれそのエネルギーが尽きたときには爆発を起こして消滅するのです。私たちの住む地球もそれ以前に太陽エネルギーに引き寄せられて消滅してしまうことでしょう。

しかし、一八四〇年代に確立された「エネルギー保存の法則」によると、「外部からの影響を受けない物理系においては、その内部でどのような物理的あるいは化学的変化が起こっても、全体としてのエネルギーは不変である」のです。つまりエネルギーが消えてなくなることは絶対にないので、太陽が爆発して太陽系が終焉(しゅうえん)を迎えても、その際に発生するエネルギーが、また、なんらかのエネルギー体を生み出すはずなのです。

## 神も霊もエネルギーのみの存在

私たち人間には「肉体」があり、「頭脳」があり、そして目には見えない「心」があります。そして、初代会長 隈本確や私の著作をすでに目にされた方はおわかりのように、私たちの心のなかには「魂」という核のエネルギー体が存在しているのです。

動物は肉体と頭脳は持っていますが、人間とは違い心は持っていません。犬や猫に飼い主を覚えるという知能はあっても、人間のような喜怒哀楽はないでしょう。ライオンが餌を見つけてニヤリと笑ったりしたら、それこそ不気味ですよね。

そして肉体も頭脳も持たない存在、心（魂）のみの存在、すなわちエネルギーのみの存在もこの大霊界には活動しており、それが神であり、霊であり幽族ということはご存知の方も多いかと思います。

魂、すなわち霊は目に見えませんがエネルギーを有しており、目に見えない神も強大なエネルギーを放射しています。物質で構成されている大宇宙を支配しているのも、初代会長が指摘したように、ビッグバンを発生させた目に見えない神のエネルギーの作用によるものなのです。

人間は高齢化し、どんなに長寿を誇っていても、いずれ肉体は死を迎えます。それが大自然の、いや大霊界の摂理だからです。「人間はいずれ炭酸ガスとカルシウムさ」と、ある方が笑いながら言っておられたそうですが、たしかに肉体生命を失ったいわゆる魂の抜け殻は火葬され、遺骨のみとなって墓の中に納められます。しかし、心のなかで成長していたその人の魂は、肉体消滅後も永遠に存在し、魂、すなわち霊のみ、エネルギーのみの存在となって霊界へと入っていくのです。

では霊界とはいったいどういうところなのでしょう。

肉体の衣を脱ぎ捨てた魂は、まず霊界と現界の境となる「幽界」というところで目覚めます。ある人の魂はすぐに自分の肉体が失われていることに気づき、幽界をさ迷いながら上方へと昇っていきますが、なかなか自分の肉体の死が受け入れられず長いあいだ幽界に留まり、生前の心のあり方によっては下方霊界や地獄界へと堕ちていく魂も多く存在しています。

霊界とは、上は天界神聖界（てんかいしんせいかい）から、下は地獄界へとつながる広大無辺の世界なのですが、ここで述べておきたいのは、霊界は私たちの住むこの現界とかけ離れたところに存在するものではないということです。端的に言えば、霊界と現界は背中合わせと言いますか、同一空間にあると言いますか、つまりあらゆる霊たちは私たちのすぐそばでエネルギー体としてうごめいているのです。

若くしてお父さんを亡くしたある女性が言っていました。

「先生、私が父のことを想って空を見上げると、そこにニコニコした父の笑顔が見えるんです。父はいつも私のそばにいてくれるんですね」

その女性には実際にお父さんの笑顔が見えたのでしょう。彼女が言ったように、亡き人の魂は、未だ現界にあって自分のことを想っている愛しい人のそばに、いつでもスッと来てくれるのです。

毎日、ご両親の写真の前にお花やお茶を供えて「今日も私たちを守ってください。お願いします」と手を合わせて語りかけているというその女性は、その日その日の自分の心の状態によってご両親の表情も変わって見えると言います。同じ写真でありながら、どうして違って見えるのでしょう。つまりはご両親の写真の前で、その女性は生前のご両親を思い出すばかりでなく、自らの心をも見ているからではないでしょうか。

いずれにしても神や霊は目には見えませんが、この大霊界に確実に存在して活動しているのです。大霊界には神々のエネルギー、霊たちのエネルギー、そして私たち人間が発する想いのエネルギーが満ち満ちて渦巻いているのです。そして互いに影響を及ぼし合っているのです。

なぜそう断言できるかといえば、明らかに霊の障り（霊障）と思われる現象が日々あちこちで起こっており、その霊の障りが日神会の「天界道神技」（かつての自己浄霊法）によって次々と解消されているからです。では次に浄霊のメカニズムについて、少しだけ述べておくことにいたしましょう。

## 神のエネルギーと浄霊のメカニズム

先ほど霊界にはさまざまな段階があると述べましたが、高い超神霊が住まわれる天界（天界神聖界）から下方の地獄界まで、あらゆる階層に息づいているさまざまな神や霊のなかで、現界に生きる人間に苦しまぎれに取り憑いてくるのは低級霊界や地獄界にうごめく霊たちです。救われている先祖霊などが子孫を導くために取り憑いてきたり、間違った道を歩んでいる時にいましめのために取り憑くこともありますが人間界にはまったく関与しません。

では、なぜ低級霊や地獄霊は現界人に関わってくるのでしょう。端的に言えば自らを救ってほしいからなのです。来る日も来る日も真っ暗な砂漠のような低級霊界をさ迷う辛さ、寂しさ、焦燥感、絶望感。あるいは片時も休むことなくギリギリと自分を締め上げてくる地獄の苦しみ、そうした諸々の試練に耐え切れず、現界に舞い戻って波長の合う人間に「助けてくれ」と言ってすがりついてきます。それが霊の憑依（取り憑き）による痛み苦しみ、ある種の病気、すなわち霊障として人間の肉体や心に障害をもたらすのです。つまり、霊障とは霊界で救われない霊の究極の叫び、現界人への必死の訴えなのです。

ここで付け加えておきますが、先に述べたように霊はエネルギーのみの存在ですから、そのエネルギーの働きによって人間の心身に引き起こされる霊の障りは、一種のエネルギー障害と言うこともできるのです。

そこで、そうした救われていない霊の、いわば汚れたエネルギーを超神霊である神の強大なるエネルギーによって浄化し、救済して霊界の高いところへ上げることで、痛み苦しみ、病気に冒された人間をも救済する、それが日神会の天界道神技です。

私たち日神会の神霊能力者のみならず、熱心な会員のなかにはこの天界道神技によって多くの人たちを救っている方もたくさんおられます。その神技の方法は会員となられ、日神会の儀式を受けられることによって教授されますが、この神技にはたいへんなエネルギーが必要となります。絶対なる信仰心が必要となります。なにしろ偉大なる超神霊、日神会の守護神であられる聖地恩祖主本尊大神（せいじおんそすほんぞんおおかみ）「聖なる御魂親様」の崇高なるエネルギー、強大なるエネルギーを我が身に戴いて、それを自らの心の力で相手様に流し送るのですから、生半可な気持ちではとてもこの神技を身につけることはできません。だからこそ私自身をはじめ日神会の神霊霊能者も、なおいっそうの浄霊力を身に付けるために日々修行を重ねているのです。

では、最高の神のエネルギーとはどういうものでしょうか。

人知の及ばない強大なる神のお命の力、私たち人間にはとても計り知れない偉大なる神の英知、そして大いなる愛の御心（みこころ）、それが絶えず大霊界に放射されている神のエネルギーなのです。つまり最高神のエネルギーとは、「愛」そのものなのです。

私が神の愛のエネルギーについて話しをするときに、わかりやすい例としてよく紹介しているのが、多くの皆様がご存知の「太陽と北風」の話です。

一人の旅人が身にまとっている外套（がいとう）をどうやって脱がせるか、それを太陽と北風が競い合ったという寓話です。北風はビュービューと吹きつけてなんとか外套をはぎ取ろうとしますが、旅人は必死に外套を押さえてなかなか脱ぎません。ところが、太陽が暖かい陽射しをひたすら浴びせかけることで、旅人は自ら外套を脱ぎます。この太陽の暖かさ、これが神のエネルギーだと考えたらどうでしょう。

その偉大なる愛のエネルギーを我が身に戴いて霊の憑依を解き、同時に自分に内在する魂までも浄化していただくのが、日神会の指導する天界道神技であり、それを強い祈りの力で一瞬にして行う方法が「聖刹那神技（しょうせつなしんぎ）」（かつての強制浄霊法）なのです。

偉大なる強大なる神のエネルギーを戴くためには、命がけの祈りとともに神と波長の合う清らかな心、汚れなき魂を自らも持っていなければなりません。ですから、自らの心の管理が非常に大切になってきます。

日神会では、「謙虚、礼節、敬い」の三善の心と、「愛し、慈しみ、尊ぶ」の三愛の心、つまり「三善三愛」の心を神に愛される心としておりますが、逆に三悪の心、すなわち「傲慢、高姿勢、プライド」を強く抱いた心ではとても神の波長と合うはずがありません。ですから、つねに自らの心を見つめて反省し、間違った心は速やかに正していくことが必要となります。

「正しい信仰とは想うこと、祈ること」だと初代会長はつねに言っていました。心の底から神を想い、神を信じ切って強く祈る。これが信仰の真髄です。この清らかな心の姿勢と、神への深い祈りの心があれば、きっと皆様にも天界道神技、聖刹那神技は可能となるはずです。自らの心をしっかりと磨き、日々神に祈り、神のエネルギーを戴いて生活していれば、きっと皆様の人生は平穏で豊かなものになると思います。

## エネルギーの連鎖によって人間社会は変動する

これまで述べてきたように、大霊界のすべての営みはさまざまなエネルギーの作用によって成り立っています。多種多様のエネルギーが互いに影響を与え合って大霊界は変動を続け、発展を続け、一瞬たりとも止まることはありません。エネルギーの渦巻く大霊界……。そこにはさまざまなドラマが生まれます。

大宇宙における物質的エネルギー活動を見ても、地球の中心ではマグマが休みなく活動しており、時には火山の噴火をもたらすときもあります。また地層が曲がりくねるように変形したり、噴火したりすることによってできあがった山々は、いつか崩れ落ちて岩石は小さな砂と化していきますし、逆にまたなんらかのエネルギー活動によって新たな陸地が形成されることもあるでしょう。川の流れや海流の浸食によって大地は削られて曲がりくねり、削り取られた土壌は流されて河口に三角州を作り、いずれは海に沈んで海底の砂となり、さらに長い年月をかけて新しい岩盤を形成していくこともあるでしょう。

また、生命あるものは細胞分裂によって成長し、成体となったのちに子孫を残して死滅していきます。植物は枯れ、動物はその死を迎えます。しかし植物は種を残して自らの種族を存続させ、動物は子どもを産むことでやはり種族を存続させていきます。私たち人類も同じことで、自らの血を引く子孫を生み出したのちに死を迎えます。

単細胞動物は分裂によって仲間を増やし、魚類は海藻などに卵を産み付けてふ化させ、動物は母乳や餌を与えて子どもを成長させるあいだに、泳ぎ方や飛び方、餌の捕え方などを我が子に教えます。人間ももちろん自らの子どもがしっかりと社会生活が送れるようにしつけをし、教育を受けさせていきます。そして子どもが一人前になったとき、親は高齢となり、やがて肉体の死によって魂は霊界へと旅立ちます。そうやって生命体は自らのエネルギーを子孫へと与えていくのです。

では「心」が遺伝することはあり得るのでしょうか。「さすがは誰々の息子だねえ」とよく言われたりするのは、体格や知性のみならず性格までが親に似てくるということですが、精神世界の遺伝子というものもあります。性格まで親に似てくるのはなぜでしょうか。

まず考えられるのは、親によるしつけや教育でしょう。また、「子は親の背中を見て育つ」といわれるように、子どもは親のすることを真似して自然に生き方を学んでいきます。ですから親はまず、自分自身の心や行動を正しく保つ努力をしなければなりません。ですから子どもが目にし、真似をする正しい心、生き方、それは大霊界で永遠に生き続ける魂を持った人間としてとても大切な子孫への遺産となるのですから、子育てには充分に注意を払う必要があるでしょう。

「どうしてあの子は悪さばかりするんだろう。親の顔が見てみたい」などと人様に言われないよう、我が子をしっかりと謙虚な心、礼儀を知る態度、人を敬う気持ちを持つ人間に育てていくことです。それが、とりもなおさず子どもに対する愛情であり、神の御心に通じる心を持つ人間に育てることが、将来、我が子が霊界入りするときのためにも、とても重要な親の務めではないでしょうか。

ところがどうでしょう。最近では、育児放棄をはじめ児童虐待が社会問題となっています。現代人は子育てという動物の本能を失くしてしまったのでしょうか。その親の背を見て育った子どもさんの行く末を思ったとき、心が痛みます。私などからすると、とても人間のすることではないように思えますが、若い親たちの心のなかでは、いったいなにが起こっているのでしょうか。嘆かわしいことです。

人間は肉体と心（精神）の遺伝子によって自らの資質を子孫に伝えていきます。場合によっては魂の遺伝子も伝わっているかもしれません。ですから同時に人間としての心（精神）のあり方をも、意識する意識しないにかかわらず伝えていくことになります。目に見える肉体のみならず、目に見えない心（魂）のエネルギーも知らないあいだに後世へとつなげていくということです。

人間一人の力はマンモスやライオンなどに比べたらはるかに弱いものですから、独りで生きていくことはできません。したがって社会を構成し、他者と関わり合って生活を営んでいくことになります。そこには協働というつながりができますし、助け合いや思いやりという心のつながりも大事になってきます。

肉体も頭脳も日々成長し、心もつねに変化していくように、人間関係もつねに緊張を伴って変動していきます。昨日まで憎んでいた人となんらかの出来事によってとても仲良くなったりもしますし、人もうらやむようなオシドリ夫婦が突然、なんらかのトラブルによって離婚に至るという不幸な結果を招くこともあります。

先に述べたように、人間の想いもエネルギーですから、他者との関係もつねに揺れ動くのは当たり前のことです。気の合わない同僚と一緒に仕事をしたのでは、上手くいくはずのことにさえ行き詰る場合も出てくるでしょう。逆に気の合った仲間たちとの作業は、信じられないほど迅速に正確に進められるでしょう。

人間関係のトラブルは心のすれ違い、すなわちエネルギーの質の違いによってもたらされると考えてもよいでしょう。そうしたことが重なれば当然のことながら企業も家庭もぎくしゃくして業績は落ち、家庭の温かさは失われ、それぞれの人間が平穏で幸せな日々を送ることは難しくなるでしょう。

話は脇道にそれてしまいましたが、私が皆様に伝えたいのは物質的な変動ばかりでなく、生命体にもエネルギーの連鎖はあり、人間同士の心のかかわり合いにおいても想いのエネルギーは連鎖して変動しているということなのです。

大霊界に存在するすべてのものはエネルギー体であり、つねにそのエネルギー活動によって大霊界に変動をもたらしています。昨日と同じ今日はありません。昨年と同じ今年はありません。皆様が生まれる以前に戻ることは決してありませんし、皆様の心がその働きを止めることも決してありません。

そしてもっとも大切なのは、皆様の心のなかで育まれている魂の資質も、皆様の心の生活次第で善くも悪くも変化していくということです。私たちはいずれ魂だけの存在、エネルギーのみの存在として天地創造「素の神」の御許、聖地恩祖主本尊大神「聖なる御魂親様」の御許へ帰り着くという目的のために現在を生きているわけです。せっかく神から与えられた肉体と頭脳と心を健全に維持し、日々、清らかなエネルギーを発して生活し、人様といさかいなどを起こすことなく、平穏で充実した一生を送っていただきたい、それが私の願いであり祈りなのです。

PART 1
マンガまとめ
エネルギー渦巻く大霊界
車を走らせる燃料エネルギー
まずエネルギーとはなんでしょうか？思いつくのは石炭・石油・天然ガスから得られる化石燃料エネルギーですね
現代社会は食料・衣類医薬品を作るのもエネルギー
冷暖房に必要な電気エネルギー
快適

私たちの眠っている間も
心臓や内臓が働き続け
ているのはエネルギー
のおかげです
ZZZ
へーえ
フム
フム

そして喜びや
怒りという心の
動きも生体エネ
ルギーの働きな
んですね

このようにエネルギーは
私たちの生活を維持する
ためになくてはならない
ものですが
一方では使いすぎによる
環境汚染や地球温暖化の
原因にもなっています
それではエネルギーは、
いつどのようにして
つくられたのか見て
みましょう

天地創造
素の神はビッグバンにより大宇宙をつくられた
約150億年前、巨大な空間に満ちていた物質（元素）やガス
様々なエネルギーが凝縮されて大爆発が起きた
聖

大宇宙は
ビッグバンの巨大な
エネルギーでつくられ
大宇宙にできた
銀河宇宙の中に
太陽や地球が
誕生した
ビッグバン（大爆発）が起きたから地球が生まれたのね

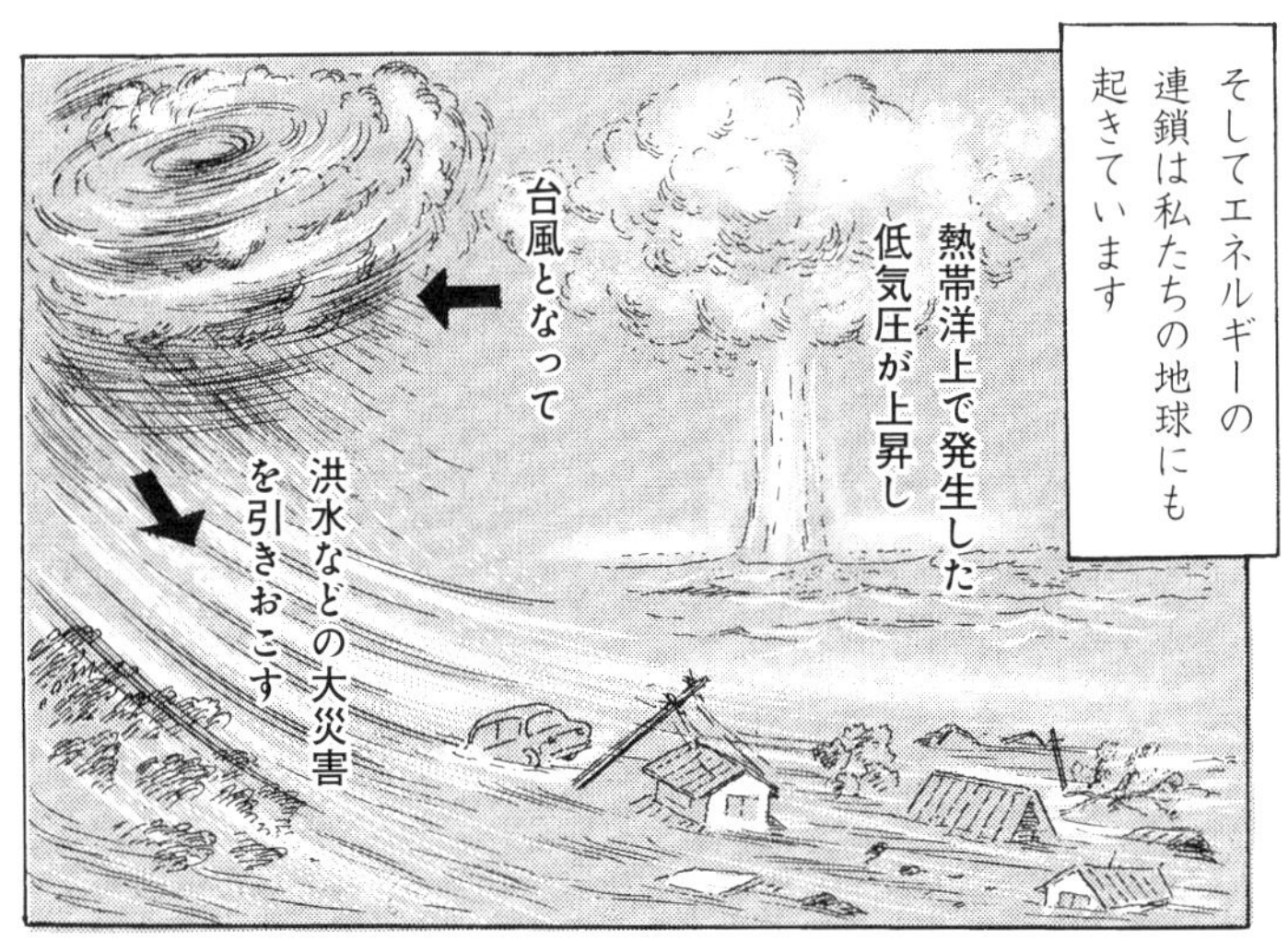
そしてエネルギーの
連鎖は私たちの地球にも
起きています
熱帯洋上で発生した
低気圧が上昇し
台風となって
洪水などの大災害
を引きおこす

日常の生活では
運転のミスにより
イ
ドン
衝突事故が
起きます

日々起きている
すべてのことは
エネルギーの連鎖
によって生まれて
いるんだね
エネルギーは
止まることなく
動き続けるんだ

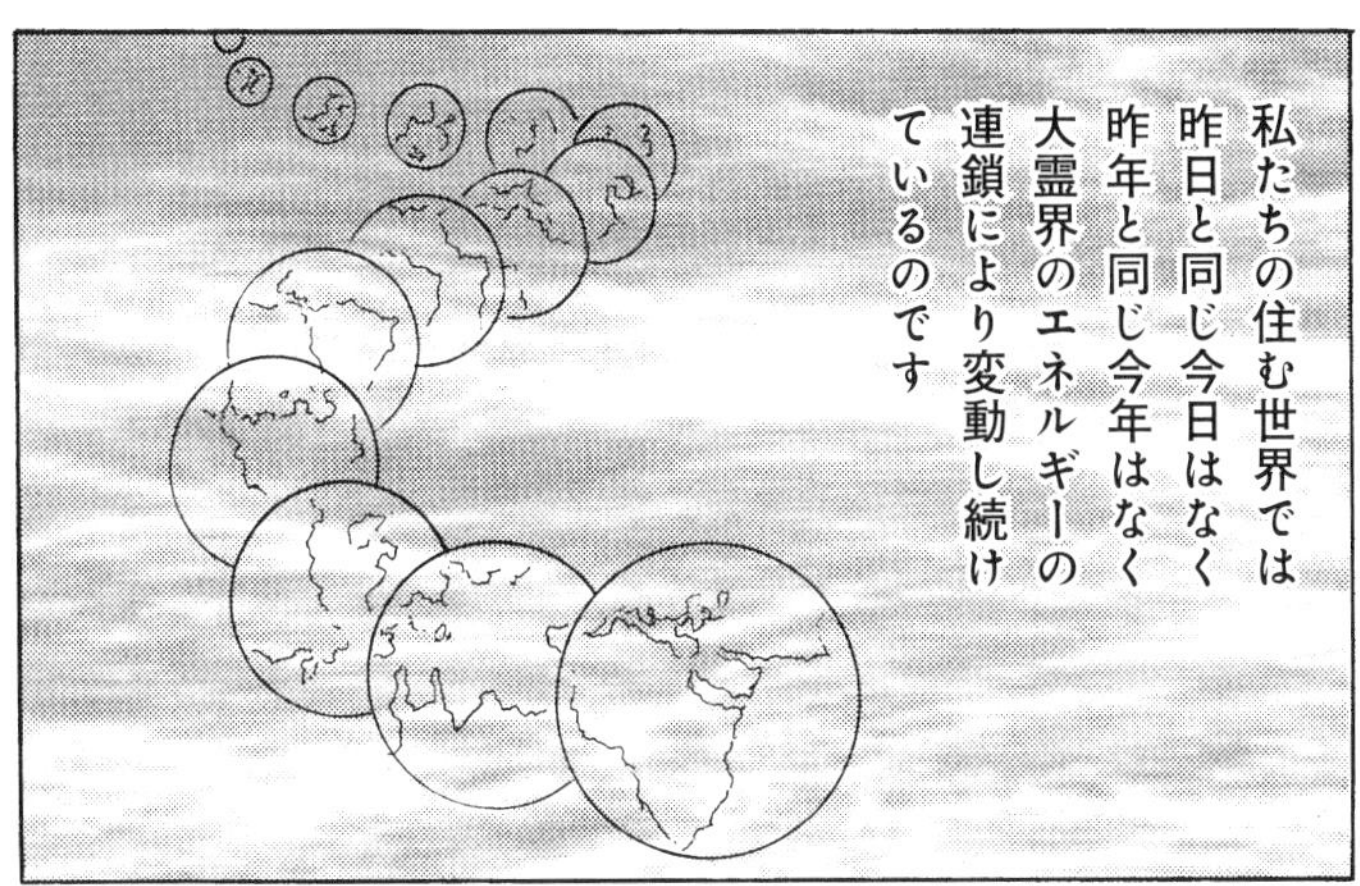
私たちの住む世界では
昨日と同じ今日はなく
昨年と同じ今年はなく
大霊界のエネルギーの
連鎖により変動し続け
ているのです

私たちはいずれ魂だけの存在、
エネルギーのみの存在として
天地創造「素の神」の御許へ
帰るという目的のために現在を
生きているのです

# Part 2

# 恐るべき念のエネルギーパワー

# 念とはどういうものか

前章（Ｐａｒｔ１）では、宇宙も私たち生命体も、すべてがエネルギーで成り立っているというお話をいたしました。この章ではそのエネルギーのひとつである「念」についてさらに詳しく述べていきたいと思います。

私たちはつねに心のなかで独り言をつぶやいています。たしかに人間はいつもなにかを考えたり、思ったりしており、喜怒哀楽の感情もしょっちゅう胸のなかに湧いてきます。なにも考えず、なにも思わず、いわゆる「無」の状態になるということは、一般の人間にはあり得ないことでしょう。

「雑念」「想念」「執念」「観念」などというように、「念」とは私たちが心のなかに抱くさまざまな想いの塊のことを言います。例えば、人を憎む、蔑む、怒る、同情する、愛する等々、他の人間に対して抱くさまざまな想いを、神霊学的には、神や霊の存在とは別に「念」という概念でとらえているのです。

「念力」というように、人間が抱く念の力、すなわちパワーも神や霊がそうであるようにある種のエネルギーとして他に働きかけ、影響を与えます。人間が内在している魂の意志と人間自身の想いが一体となり発動する心の力、それが念のエネルギーパワーなのです。

家庭生活においても、社会生活においても、私たちのまわりには無数の念が交錯しています。あらゆるすべての人たちが、知らず知らずのうちに、いろいろな悪念や良念を流し続けているのです。ですから、その念の力（エネルギー）が、霊障と同じように他の人間にも自分自身にも、さまざまな悩みや痛み苦しみを与えたり、災難にあわせたりすることがあるわけです。したがって念とは生霊（いきりょう）、すなわち「生きている人の怨霊で、祟たりをすると言われているもの（『広辞苑』）」と言うこともできます。

ここであらためて、いくつかの分類によって「念」をくわしく説明していきましょう。

## 持続念（継続念）と即念

将来自分はこうなりたい。こういった仕事をしたい。というように、自分の生き方について強く思うとき、また、誰かに対して愛憎の念を抱くとき、その念は長期にわたって発せられます。これらを「持続念」あるいは「継続念」と呼びます。

　これに対し、急激な怒りや、映画やドラマを観て悲しくなったり感動したり、瞬間的に発せられる念がありますが、これを「即念」と言います。

　人間の念は「持続念」であっても、長年同じ強さで発せられることはほぼありません。生きた人間には肉体も思考もありますから、そちらに意識がいくのがあたりまえであって、不断に継続することはそもそも不可能なのです。ところが肉体を失った霊は、存在そのものが魂だけですから、肉体や思考に邪魔されることはありません。

　ですから、霊の念エネルギーは持続性が高く、ものによっては数百年、数千年という単位で継続することがあるのです。昨今ちまたでは、おばけ（霊）の寿命は四～五百年位では？　という話もありますが、それは別の機会があればお伝えしていきます。

　当然のことですが、霊そのものの物理的エネルギーはまったくありません。なぜかというと物理的エネルギーを発する考えや肉体がないからです。逆に、「念」に関しては肉体という物質エネルギーの塊に包まれていないので直に精神（念）エネルギーを放出することができ、当然人間よりも強大なのです。私たち人間が古くから霊を恐れるのは、そのような事情もあるわけです。

## 高級念と低級念

「念」と言うと、怖くて悪いもののようなイメージが優先すると思いますが、念にも良し悪しがあります。その念が大霊界の高級神界に向かっているものか、低級霊界や地獄界に向かっているものか、といった方向性から分類することができます。つまり高級神界を志向する念であれば神性、低級霊界や地獄界を志向するものであれば悪性ということになります。

神性高級念

・慈念（慈しむ、憐れむ、恵む、愛する、可愛がる、大切にする）
・和念（仲良く、共に、平和、繁栄、向上）

・法念（教育、育成、導き、指導、順法）
・光念（以下を解消……不安、恐怖、自信喪失、不信、暗うつ、邪、傲慢、偏屈、陰湿）

悪性低級念
・悪念（攻撃）
・欲念（排他）
・疑念（疑い）

さて、あとで詳しく述べますが、念による障害には大きく分けて「加念障害」「返り念障害」「自念障害」の三つがあります。

まず「加念障害」とは、自分が発した憎しみや恨みの念が相手の人に病気や事故といった障害や不幸を与えたり、または相手の念が自分に障害を与えたりする現象のことを言います。

また、「返り念障害」とは、自分が発した悪念が、その相手から跳ね返されて自分に戻り、逆に自分自身の身の上に害が及ぶ現象のことです。

そして「自念障害」とは、自分が発した悪想念が他者に作用しないで自分自身に作用し、その結果、自分が病気になったり、事故や災難に遭遇したりする現象のことです。

このように病気や、事故、災難をもたらすこともあるこの三つの念、すなわち加念、返り念、自念のほか、すでに紹介した継続念、即念、高級念、低級念については次元によって分類することもできます。

## 次元念

私たち人間は三次元の世界に住んでいます。一次元（直線）でもなく二次元（平面）でもなく、三次元（立体空間）に存在しており、この三次元の世界に時間という四次元の観念を取り入れて生活しています。よって、すでに紹介した七つの念はこういった次元によっても分類できるのです。

自念や加念は一次元念、高級念と低級念は二次元念、即念と継続念は三次元念であるともいえます。

それでは、先ほど述べた時間という概念、つまり四次元に分類される念とはいったいなんなのでしょうか。それが霊界からもたらされる「霊念」なのです。霊念とは人間の意識が及ばぬものであり、とても巨大なエネルギー力を持っています。

ある人を背後霊が後押しして、その人が素晴らしい幸運に恵まれたり、奇跡が起こったりするのは、四次元念（霊念）のおかげだと考えたほうがいいでしょう。

しかし、四次元念（霊念）が起こす事象は、素晴らしいものばかりではありません。自分は霊感が強くて予知能力があるなどと言って自慢している人や、クジ運がよくて大金を手にすることが多い人がいますが、これらのように一見幸運にみえる事象のなかには低級霊の介入によるものも少なからずあるのです。有頂天になっていると、いずれ低級霊に付け入る隙を与え、幸せから遠ざかることにもなります。

人に対する恨みつらみの念であれば、間違いなく「悪念」ですが、そこは一筋縄ではいきません。人は誰かのために「良かれと思って」行動することがあります。ところが「良かれと思って」も、求められていなかったり、行動が過剰であると相手から疎まれたり、怒りの反応が返ってきたりすることがあります。

まずは相手のことを考えて適切に行動しなければ、その念は悪想念となり相手にふりそそぎ、相手からも悪念が返されるという悪循環に陥ってしまいます。「想いの技術」は、目に見えない心にかかわるものであるだけに、たいへん難しいものなのです。

ところで、念エネルギーがどのようにして発生するのかについては説明していませんでしたね。簡単に言うと、外界から五感を刺激されることによって、「心の意志エネルギー」＝「念」が発生するというメカニズムなのです。

私たちが、視覚、聴覚、嗅覚、味覚、触覚によって感じ取ったことは最終的に脳によって受容されます。脳はすなわち知恵の感覚器。脳が一瞬のうちに精査したすべての情報は、瞬時に魂（心）に伝達されます。魂はそれをスキャンして潜在意識下で判断を行います。このようなプロセスを経て人の心は決断を下し、精神的な意志エネルギーを放つのです。

悪想念も同じようなプロセスで生成されます。ただ、悪想念的な意志エネルギーは不平不満や怒り、ねたみなどネガティブ的なものであり、それが蓄積して限界を超えたときに爆発的に噴出するのですが、もしそれを背後霊が後押しするようなことがあると、相手に取り返しのつかないダメージを与えてしまうこともあるのです。

初代会長 隈本確はつねづね「病気の約七〇パーセントまでが霊障、すなわち悪霊とか低級霊が人間に憑依（取り憑く）しておこるものである」と話していました。これは初代会長が半世紀にもわたる神霊研究と、数万件にもおよぶ神霊治療（浄霊）の経験から導いたものでした。

私たち人間が病気にならないためには、日々、「食べる、動く、眠る」をしっかりと実行し、健康に気をつけた毎日を送らなければなりません。しかし、それらを実行したとしても病気になる人が多いのはなぜなのでしょうか。それは先ほども申し上げたように、悪霊や低級霊が人間に憑依してくるからなのです。そしてこれは病気にとどまらず、事故、災難をも引き起こす要因にもなり得るのです。

人間に憑依するのは死者の魂、すなわち死者の霊ばかりと思っている方も多いと思いますが、そうではありません。これと同様に注意しなければならないのが、生きた人間の念エネルギーなのです。

つまり「病気の七〇パーセントまでが霊障である」というのは、死者の霊の障りと同時に、生霊による障りも含まれているということを意味しています。ただこのように述べてきても、皆様にはなかなかおわかりいただけないかもしれません。では、念のパワーの恐ろしさを自ら体験したお話を紹介いたしましょう。

## 妻の強い想いがもたらした夫の身体の不調

現在もそうですが、これは日神会がとくに神霊治療（浄霊）と銘打って病苦解消のために浄化を行っていた頃の話です。

この女性Aさんは当時四十歳で、後頭部の割れるような痛みと、首筋から肩にかけてのもの凄い張りと痛みのために十年以上も苦しめられていましたが、医師の治療を受け続けても思うような効果が得られないということで、遠方から日神会に来られました。

それらの症状はもちろん浄霊によって八〇パーセント解消され、Aさんは長年苦しんできた痛みから解放されたことをたいへんに喜ばれ、幾度も感謝の言葉を述べられたのですが、しばし口ごもったのちに思い切った様子でお話しになられました。その内容は次のようなことでした。

Ａさんのご主人は小さな会社を経営しているのですが、かなりのお酒好きで、毎晩、二軒、三軒とハシゴ酒をして酔っ払い、帰宅が深夜になることもしょっちゅうだったそうです。翌朝は二日酔いに苦しめられ、起きられなくて休んでしまうことさえあるとのこと。Ａさんはお酒を止めてほしいとまでは言わないものの、体のことも少しは考えてほどほどにしたらどうかと注意するのですが、ご主人はまったく意に介さず、馬の耳に念仏といった状態だったというのです。

Ａさんは毎晩、ご主人が帰宅するまで寝ないで待っているそうで、そんなとき自分でもどうにもならないほど腹が立ってきて、思わず心のなかでご主人に激しい罵（ののし）りの言葉を吐いてしまうのだと言います。

「もう、うちの主人のような男はどうにでもなれ、飲み過ぎてお腹でもこわして熱を出して二日も三日も会社を休んだらいい。そうすれば少しは思い知るだろう」

そんな暴言を心で吐いた翌日、なんとご主人は本当に高熱を出し、ひどい下痢を起こし、それが三日も続いて会社も休んでしまうということが起こりました。Ａさんは自分が思ったとおりのことが現実となったことが、なんとも不気味で仕方がありませんでした。そして、そうしたことは一度や二度ではなかったのです。

Aさんは別にご主人を嫌っているわけではなく、かけがえのない大切な人だと思っているからこそ、そうした怒りも湧いてくるのですが、どんなに自重しようと努力しても、午前様が幾日も続いたりすると、どうしても堪忍袋の緒が切れてしまうのだそうです。そして……。

「あんな男、こんなに私に心配をかけるのなら、体中が痛くなって動けなくなってしまえばいいんだ」

そうした憎しみの想念を抱いた翌日、ご主人は、体中が痛くて動かないと言って布団のなかで青息吐息の状態になってしまいました。

最初のうちはAさんも偶然の出来事だと思っていましたが、二度三度と同じようなことが起こってくると不安でしかたがなくなってきたそうです。

どうしてこんなことが起きてしまったのでしょうか。

それは、Aさんの念の力、つまり想いの力が原因でした。ご主人のことを大切な人だと思っているからこそ怒りも湧いてくる。でも、どんなに自重しようと努力しても堪忍袋の緒が切れてしまう。Aさんは、何事も一筋に思い込んでしまう、一心不乱に思い詰めてしまう、一つのことにかける想いの力が非常に強い人なのです。

そんな人は、瞬間的であったとしても怒りの念をぶつけると、相手が本当に体調を崩してしまったり、ひょっとしたら命を落としたりするかもしれないのです。そこでAさんに自分の想いを極力抑える努力をすることの大切さをお伝えいたしました。

自分のなかになにか恐ろしいものが巣くっているのではないか、自分の人間性に不安と恐怖を感じて誰にも相談できなかったというAさんは、「これからは、主人に対して激しく憎んだり恨んだりするような想いは出さないように努力してまいります。ありがとうございました」と言って深く頭を下げ、すっきりとした晴れやかな表情になって帰っていかれました。

いかがでしょうか、人間の念のエネルギーがいかに危険なものか、おわかりいただけたと思います。

Aさんのように、自分が心に抱いた悪しき願望があまりにしばしば現実のものとなってしまうことに人知れず悩み、怯えて過ごしている人はいまでもたくさんいらっしゃいます。そうした人たちは、何事につけ一途に思い込む力が非常に強いために、その想いが強烈なエネルギーとなって現実に悪しき結果をもたらしてしまうのです。

このように念の強い人は、自分自身の心、想いに細心の注意を払い、管理していかなければなりません。場合によっては、感情のおもむくままに不用意に抱いた自分の邪悪な念が、最愛の妻や夫、肉親の命をも奪うかもしれないのです。皆様には思い当たることはないでしょうか。一度、ご自身の心のなかを見つめてみられてはどうでしょうか。

## 母親の息子へのいきすぎた過保護

加念障害を引き起こすのは憎しみや恨みの念ばかりでなく、過剰な愛情もまた、まかり間違うと相手になんらかの悪影響を与えます。次に、母親の溺愛(できあい)のために身も心も衰弱していた息子さんの事例を紹介しましょう。

先ほどのAさんの場合と同じ頃のことです。あるとき、五十代の女性Bさんとその息子さんがそろって日神会にやってきました。母親であるBさんの話では、息子さんの健康状態がどうもすぐれないので、なんとか心身ともにすっきりと元気になるように神霊治療（浄霊）をお願いしたいとのことでした。

この息子さんは二十八歳とのことで、すでに結婚して一家を構え、数ヵ月後には初めての赤ちゃんが誕生するというのに、どうも生気に乏しく、表情も晴々としておらず、Bさんとしては心配でたまらないというのです。

「この子にはもう少し体も丈夫になってもらい、精神的にもしっかりしてもらわなければと思いましてね。じつはこの子は三人兄弟の末っ子なのですが、上の二人の息子は健康そのものに育ちましたのに、この子だけは小さい頃から虚弱体質というのでしょうか、とても体が弱く、いつもなんとなく生気がなく、この十年ばかりはずっと胃のあたりが重苦しいそうで、とくに食事のあとは胃がひどく痛むというのです。そのうえ、めまいや立ちくらみもしょっちゅうあるらしいのです。先ほども申しましたように、もうすぐ父親にもなるわけですから、もうちょっと元気になってもらわなくてはと……」

このように一生懸命に訴えるのはもっぱら母親のBさんのほうで、息子さんのほうはBさんのそばで行儀よくだまって座っているだけなのでした。そうしたお二人の様子を観察していてピンとくるものがありました。

これは、Ｂさんの加念障害ではないかと……。

世の中には、自分の生んだ子どもだから親はなにを言ってもいいし、親が子どもを叱るのは当たり前ではないかと、まるで子どもを自分の所有物のように考えている親ごさんたちも多くいるようです。昨今では母親の育児放棄や児童虐待が大きな社会問題になっていますが、自分の思いどおりにならないといって子どもを憎んだり、ひどい場合にはせっかんを繰り返したり、そうした親もますます増えてきているようです。

かといって、逆に子どもの言うことはなんでも聞いてやるとか、真の意味でのしつけをおろそかにするとか、そうやってわがまま放題に育てることも正しい親の態度ではありません。子どもの教育というのはとても難しいもので、なにが子どもにとってもっとも大切なことか、親は子どもに対する自らの心のあり方をしっかりと模索していかなくてはなりません。

このＢさんのように二十八歳にもなる息子さんをまるで赤子のように扱い、いわゆる過保護の状態に追い込んでいては、息子さんはいつも母親の監視下に置かれているようで、息も詰まりそうになるのではないでしょうか。

すでに結婚もして近々初めての子どもにも恵まれるというこの息子さん、社会人として一人前のはずの息子さんが、Bさんに手を引かれるようにして日神会を訪れる……。この息子さんは典型的な甘えん坊の母親っ子ではないのかと思い、Bさんにこのような質問をしてみました。

「お母さん、三人の子どもさんのなかで、この息子さんが一番可愛いのではないですか」

「はい。私はもう主人よりも、この子の嫁よりも、いえ、私の命よりもこの子が大事で可愛い。目のなかに入れても痛くないというのは、この子のことですよ」

二十八歳にもなる大の男をつかまえてこの答えでした。

しかも、この言葉に加え、ホカホカのまんじゅうを手のひらで包み込むように、愛情のありったけを隣に座っている息子さんに浴びせかけているBさん。さらに話をよく聞いてみると、Bさんは、息子夫婦の家を月に何度となく訪れ、そのたびに息子さんの衣服の洗濯から食事の世話までしていくそうなのです。そして、仕事先から帰宅した息子さんのそばにまとわりつくようにして仕事の様子や同僚との付き合いなど、根掘り葉掘り聞き出すのだそうです。

このように息子さんから一時も離れまいとするBさんの盲愛の念。どうやらBさんは自分の息子がちょっとでも目の届かないところにいると、もう不安で、心配で、居ても立ってもいられないという様子なのでした。

愛情もここまでくると相手に害をなす妄執となってしまいます。こうした強力な盲愛の念に押し包まれた相手の人間は、ジリジリ、ジリジリと真綿で縛られるように、魂までが縛り上げられていくのです。現に、二十数年のあいだ抵抗もできずに、呼吸の自由さえ狭められるようにして、一身に母親の盲愛の念を受けてきたこの息子さん……。

けたたましいほどに愛の妄念を表現している母親とはまったく対照的に、見るからに打ちひしがれた風情で、母親の横に力なく座っているのです。

これでは、たとえいま神霊治療（浄霊）で胃の痛みや立ちくらみの症状を治したとしても、遠からずまたどこかに不調が出てくることは目に見えている。なんとかして、このBさんの強大なる盲愛の念を停止させなくてはならない。そうしたことを考えながら息子さんの浄霊に取りかかりました。そして、およそ五分。浄霊を終えると、それまで白っぽくカサカサとした息子さんの頬に、うっすらと血の気がさしてきました。おまけに胃の痛みも重苦しさも急速になくなっていったと、息子さん自身が嬉しそうに話してくれました。

　ところが、どうしたものか、別人のように生き生きと輝き始めた息子さんの眼をのぞき込むようにして見ていたBさんは、ますます昂(たか)ぶったように盲愛の念をつのらせて、いまにも息子さんを抱きしめようとするような風情で、狂おしいまでの歓喜の表情をあらわにしているのでした。

　これではまるで愛の暴力ではないか。困ったものだ。そこでBさんに息子さんが今後もずっといまと同じように元気でいるためにはどうしたらいいのかをお話しすることにしました。

　まず、息子さんにあまりかまわないようにすること、もう少し息子さんをほったらかして自由にさせてあげること、そして、すべての面で息子さんの行動や心を縛るようなことは止めるようにとお願いしました。するとBさんは急に張り付いたような表情になり、信じられないものを見るような目つきで私に話しはじめました。

「先生それは一体全体どういうことですか。母親が子どもの面倒を見ることがなぜいけないのでしょうか。この息子に対する想いを消すことなんて、私にはとうていできません」

満身に力を込めて大声で訴えるBさんは、目に涙さえ浮かべていました。

そのとき、これまで母親のそばで黙っていた息子さんが不意に言葉を発したのです。

「お母さん、先生のおっしゃるとおりだよ。もう僕をほっといてくれないか。お母さんが僕を可愛いと思う気持ちはありがたいけれど、僕にはもうそれが辛いんだよ。お母さんが僕の家へきて、いろいろと僕の世話をやいたり、面倒を見てくれたりすると、僕は辛くなるんだよ。辛いっていうよりは、いやになっちゃうんだ。だから、もう妻と二人で、どこかお母さんの目の届かないところへ逃げようかと思うこともあるくらいなんだ。お母さん、僕はお母さんがあれこれと僕のことをしてくれるのが苦しいんだよ。もう、我慢できないよ」

これを聞いたBさんは、大きく目を見開いて呆然としてしまいました。そして次の瞬間、前につんのめるような姿勢になって唇をブルブルと小刻みに震わせ始めました。Bさんにとって息子さんのこの言葉は可愛い我が子の、生まれて初めての造反だったのでしょう。一方、息子さんは、背筋を伸ばして毅然たる顔つきで泣き伏す母親を見つめていました。

まるで自分の肉体の一部であるかのように錯覚していた息子さんが、不意に自分からむしり取られたような苦痛に嗚咽（おえつ）するBさんと、なにかが吹っ切れたようにさっぱりとした表情の息子さん。悲しみに暮れるBさんには苦痛であっても、ひ弱な息子さんが肉体的にも精神的にも強くなり、張りのある人間になってほしいという願いは叶えられたのです。

しかし、まだBさんの心の問題が残っていました。息子さんの二十年以上にわたるすっきりしない健康状態と精神的な頼りなさの原因は、母親であるBさん自身の盲愛の念であったということに気づいてくれなくては、今度は母親の側の想念が狂ってしまいます。

そこで、母親の愛の心（念）も度が過ぎればいじめ（悪念）へと変わり、それが愛する子どもを脅かす凶器ともなり得るということを諄々（じゅんじゅん）と話すと、Bさんはようやく涙を拭って落ち着きを取り戻し、少しずつ努力していくことを誓うのでした。

そして息子さんは、明るい調子で母親のBさんに語りかけたのです。

「お母さん、僕はもう今日からどんどん健康になっていくよ。仕事だってバリバリとこなす。いままでのお母さんの心配事は全部解消してみせるから、あんまり寂しそうな顔をするなよ」

このときは息子さんの言葉にBさんはこっくりとうなずいたのですが、あれから時は過ぎて二人の関係はどのように変わったのでしょうか。

それにしても子どもを想う親の愛情、また親を想う子どもの愛情、まかり間違えば互いにすれ違い、苦しめ合ってしまう愛という念のあり方の難しさ、それぞれの人間が放つ念のエネルギーの絡み合いの複雑さをあらためて感じる出来事でした。

## 子どもの将来を案じた母親のしつけ

母親の過保護が高じて子どもの健康を損ねてしまうというような例は、ことさら珍しいことではなく、現在でもそうした不幸な状況に陥っている親子は多く存在します。

「この子は小さいときからどうも病弱で」と言って子どもさんを連れて来会される母親はたくさんいます。そして、それらの原因のほとんどは、母親の子どもに対する盲愛の念のエネルギーなのです。つまり、母親の子どもに対する加念による障害です。

また、子どもの将来を案じた母親の厳しい育て方が子どもの心と行動に悪影響を及ぼす場合もあります。

かつて日神会に息子さんと一緒に来会されたお母さんがいました。男の子は小学校六年生でもともとやんちゃなところもあったそうですが、それが次第にエスカレートしてきて、最近では他の子どもたちのすることにちょっかいを出したり邪魔をしたり、喧嘩をしたりすることが多くなり、担任の先生からしょっちゅう厳しく注意されるようになったとのことで、お母さんは我が子になにか悪い霊でも取り憑いているのではないかと心配になって相談に来られたとのことでした。

しかし実際に面会したところ、どうも原因はほかにあるように思えました。なぜなら、お母さんが息子さんに向ける表情や言葉がとてもきついものだったからです。それを指摘すると、お母さんは予想もしなかったアドバイスにびっくりしてしまったようでした。

さらに話を聞いていくと、息子さんは安心したのか、ようやく口を開きました。

そしてこう言ったのです。「お母さんになにか言われると、ぶたれているような気がする」と……。

息子さんは、お母さんが「ご飯よ」と声をかけただけでもビクッとしてしまうほど恐怖を感じていたというのです。一般的に大人は子どもに比べて強い心のエネルギーを持っています。ですから、大人が子どもに強い念エネルギーを発すると、なんらかの障害を子どもに与えてしまう場合があるのです。

もちろん、このお母さんは息子さんが憎くて厳しくしていたわけではありません。自分の子どもが将来大人になってもきちんと生きていけるように育てなくてはと必死になっていたのでしょう。お母さんの「素晴らしい人間になってほしい」という強い想いが、男の子のストレスとなり、学校で爆発してしまっていたわけです。

じつは、お母さんの態度だけが問題だったわけではありません。お母さんの愛情を信じられなくなった男の子の暗く落ち込んだ心は、霊の憑依を受けやすく、また、お母さんの強迫的でネガティブな想念も低級霊の波長と合ってしまう恐れがあったのです。そこでさっそく親子二人の心身の浄化を執り行うとともに、きちんと話し合いを重ねて親子ともども心の健康を取り戻すようアドバイスをさせていただきました。

## 愛情の偏重が生んだ悲劇

さて、子どもに過剰な愛情をささげ続ける親、子どもの将来を案じて厳しくしつける親……。親が子どもに与える愛情の形はさまざまですが、親の愛情の偏重が子どもたちの人生を大きく変えてしまったという事例を紹介しましょう。

ある裕福な夫婦に二人の姉弟がいました。姉のほうは幼い頃から厳しくしつけたこともって、立ち居振る舞いも考え方もしっかりした娘に育っていきました。

一方、弟は末っ子ということもあって、両親にとっては可愛くて可愛くてしかたがなかったのでしょう。欲しいものはなんでも買い与え、悪いことをしても叱ろうとしなかったそうです。

やがて二人は成長して大人になっていきました、もともと心優しかった姉は、世のなかの役に立ちたいと専門学校で学び、資格を取得して福祉の道に進みました。そして学生時代に知り合った男性と大恋愛を実らせて結婚し、温かい家庭を築いたのでした。

ところが、弟のほうは仕事が見つかってもすぐに辞めてしまうような状態で、いつまでたっても落ち着き先が決まらず、三十歳近くまで親のすねをかじり続けたそうです。それでも両親は可愛い息子をずっと手元に置きたいと思っていたのでしょう。弟をとがめることはありませんでした。

そんな息子にも恋人ができ、知り合って間もなく二人は結婚することになりました。とはいっても、息子にはまだ充分な収入がありません。それなのにどうしても結婚するという息子に、両親はマンションの一室を新居として買い与え、新生活に必要なもののすべてを揃えてあげたのでした。これには親戚一同、あきれ果てたそうですが、両親も息子もその新妻も、なんにも疑問を抱かずに新生活に突入したのでした。

さすがに結婚したこともあって息子は就職し、真面目に働き始めました。そうして二年ほどが経った頃、異変が起きたのです。奥さんが疲れやすいといって床につくことが増えたため、念のために病院で精密検査を受けたところ、急性骨髄性白血病であることが判明したのです。息子はお金に糸目をつけずにできる限りの治療を受けさせ、両親も神仏にすがりお参りを続けていましたが、その甲斐なくそれから一年ほどで奥さんは亡くなってしまいました。

葬式の日、親族は姉の様子がおかしいことに気づきました。そして親族が声をかけると姉は長年、両親と弟を恨んでいたことを打ち明けたのだそうです。自分には厳しく接する一方で、弟のことを溺愛し続けてきた両親……。同じ子どもなのに、どうしてこんなに違う扱いをされなくてはならないのか。弟はマンションまで買ってもらっているのに、自分にはなんの支援もない。いったいどうしてこんな差別を受けなくてはいけないのか……。姉はその心にずっと恨みの炎を燃やし続けていたのでした。

弟の奥さんが難病に冒され、あっという間に亡くなってしまったことで姉は自責の念にかられていました。自分の恨みの念が義理の妹の命を奪ってしまったのではないかと、恐ろしくなったのです。姉は心から反省し、義理の妹の冥福を祈ったのでした。

姉弟の両親は、これまで自分たちが行ってきた罪について、なんの自覚もありませんでした。息子の人格や生活態度は、明らかに両親の溺愛によってつくられたものでしたが、それに気づくこともなく、息子の妻の悲劇を嘆くばかりだったそうです。

息子への溺愛という悪想念と、それによって生まれた娘の恨みの念。念エネルギーはこうして絡み合い、結果として悲劇を生むこともあるのです。

親が、可愛い可愛いと思って大切にしている子どもほど、心身ともに虚弱になりがちで、いつもこっちが痛い、あっちが痛いと言っているようです。逆にほったらかされて育った子どもほど健康そのもの、生活力も生命力も旺盛であるという場合が多いようです。こうしたいわば皮肉な例を数多くみるにつけ、愛というものは「取り扱い注意」ともいうべき難しい想念であることを痛感しています。

霊界側から見れば、愛も憎しみも同じレベルの霊的な流れ、念となることを忘れてはなりません。ですから、子どもが病弱だからといってやたらと神参りなどして、「この子どもを助けたまえ」と必死に祈っていることが、じつは逆に「この子どもを苦しめたまえ」と念じているのと同じことだったりもするわけです。

こうした想いのかかわり合いは、なにも親子に限ったことではありません。夫婦間でも同様で、奥様がご主人を愛し気づかうあまりに、次第にその念がご主人にまとわりつき、呪縛してしまうということもあるのです。

例えば、ご主人が会社から帰宅するやいなや、その表情やしぐさの一つひとつも見逃すまいとするかのように、奥様に観察されていたら、それが愛情からの気配りだとわかっていても、ご主人としてはだんだんうっとうしくなり、いやになってくるでしょうし、息苦しさを感じるようにもなってくるでしょう。

もうやめてくれ、いい加減にしてくれ！　たまには一人でのんびりさせてくれ！　愛もほどほどにして自由にさせてくれ！　ああ、もうこんな窮屈な家庭はまっぴらだ。酒でも飲んで酔っぱらわないと、とてもしらふでは家に帰れない。もうとても我慢できない！

私は男性ですから、こうしたご主人の心の動きはよくわかるような気がします。ご主人を愛するがゆえの加念障害をもたらさないよう、愛の押し売りは控えてほしいものです。本来、良念であるはずの愛の念が、こうした場合は悪念となってしまうのですから……。

## 疑いの心が起こした返り念障害

さて、これまで「加念障害」の事例をご紹介しましたが、次は自分の発した念が、自分に返ってきて障害を起こす「返り念障害」の事例を紹介しましょう。

あるとき、年齢は五十歳ほどの女性Cさんに息子さんが付き添ってこられました。

幾人かの依頼者の方々が順番に浄霊室に呼ばれて神霊治療（浄霊）を受けていましたが、いよいよCさんの番になり、呼ばれて部屋に入ってきたCさんに続いて息子さんも入ってこられ、浄霊の様子を見せてほしいと言われました。その態度が傲慢だったので気になったのですが、問題はないだろうということで同席していただくことにしました。

Cさんから痛み苦しみの症状を聞き取っているあいだ、息子さんは鋭く刺すような眼差しを向けてきていました。それは、浄霊に対する興味や関心が現われたものとはとうてい思えない否定的な眼差しでした。

いったいこの息子さんはなにを考えているのだろうか。

人間は誰でも、相手が自分に対して悪意を持っているか、それとも好意を持っているかは黙っていてもなんとなくわかるものです。

そこで、この息子さんのまるで攻撃するような念はどういうものなのかを調べてみたのでした。すると、聞こえてきました。

「この野郎、なにを言ってやがる。神の力で十年来の病気を治すとは……。俺がこいつの化けの皮をはがしてやる。純粋な心を持った母を遠くから連れてこさせて、このインチキ者が！　こいつを、どんな目にあわせてやろうか……」

息子さんは強烈な反発心、対抗心を燃やしていたのです。こうした想念は浄霊の邪魔になるのですが、それでも全神経を集中してCさんの浄霊を行った結果、症状はすっかり解消され、ご本人はとても喜ばれたのです。ところが息子さんは黙っていませんでした。目にうっすらと涙さえ浮かべてお礼を述べるCさんのそばで、その様子を見ていた息子さんが侮蔑(ぶべつ)的な調子でCさんを問い詰めはじめました。

「母さん、ほんとか、ほんとに治ったのか？　この十数年のあいだ日に三度ずつもいろんな薬を飲んでいたのに、ちっとも良くならなかったじゃないか。それが、なにもしないのに五分くらいで治ったって、ほんとかい？　そんなことはあり得ないはずだが。治ったような気がするだけじゃないのか？　おい、母さん、ようく自分の体を調べて、ほんとのことを言えよ」

　そこで、やむを得ずこの息子さんと問答をしなくてはならなくなったのですが、あれこれとやり取りを重ねている最中、息子さんの携帯電話の振動音が聞こえてきました。すると、息子さんはすぐに立ち上がり、電話に出るために儀式を行っている部屋の外へ出ていきました。

　息子さんが襖（ふすま）を開けて隣の部屋へ入ったとたん、ドタッとものすごい音がして、一瞬、部屋が揺れ動くほどの衝撃が走りました。慌てて浄霊室にいた職員が襖を開けてみると、件の息子さんが両足の爪先をピーンと引きつらせて立ち上がり、またドドッと倒れる、また爪先を引きつらせて立ち上がる、という動作を必死の形相で繰り返しているのでした。立ち上がるたびに引きつった足の自由がきかずドスッと倒れ、顔には脂汗をしたたらせて呼吸まで荒くなっている状態でした。

「呪いだ、呪いだ、俺に呪いがかかった」

　息子さんは苦しそうな声をあげましたが、その様子を見ていた別の依頼者の方が
「あなた、呪いがかかったなんて、そんなことあるものですか。あなたにはバチが

当たったんですよ。さっきから聞いていれば、因縁を付けるようなことばかり言っていましたね。なんというバチあたりな人でしょう。心からお詫びをしなさいよ」と説教してくれました。

息子さんは、あまりの辛さに耐え切れず「呪いを解いてください。呪いを解いてください」と訴えていましたが、当然のことながら、息子さんに呪いをかけたわけではありません。傲慢このうえないこの息子さん自身が私に発する攻撃的な念がはね返され息子さんに戻り、当人自身を苦しめる現象を引き起こしたのです。

息子さんはついに音を上げて「すみません。すみません。とにかく私が立ってここから帰れるようにしてください。お願いします」と手前勝手なことを言い出しました。

自分が勝手に悪念を発して、返り念障害によって自分が苦しむ。息子さんにそうしたメカニズムについて説き聞かせ、その異常な状態を解消したいのであれば自分が抱いてしまった悪の念について反省し、神に心からのお詫びをするように言い聞かせました。

そして、そのとおり一心に祈っていた息子さんは、三分ほどのちにスッと立ち上がったのでした。

「ああ、呪いが解けたのですね」

息子さんはまだ見当はずれのことを言っていましたが、これは「呪いが解けたのではなく、あなたのお詫びの心が神に通じたのだ」と説き聞かせ、なんとか一件落着となったのでした。

さて、ここまで人間のさまざまな想い、すなわち念のエネルギーがもたらす加念障害、返り念障害について例をあげて述べてきましたが、皆様いかがでしょうか。

人間には心があります。それが万物の霊長といわれる人間の優れた面ですが、逆にその心のあり方次第で、自分が発する念のエネルギーパワーによって、相手の人間を苦しめたり、病に陥れたりすることも現に起こっているわけですから、皆様もご自身の想いのあり方に心を配り、間違っても「良念転じて悪念となる」などということにならないよう、しっかりと心の動きの管理を行っていただきたいと思います。

心の中におきる
念エネルギーにより
人間社会では良くも
悪くもさまざまな
ドラマが生まれます

念とは心に抱く感情のことですね
念には力（エネルギー）があって他の人や自分自身に苦痛を与えることがあります
そういえばワシは怒ったりしたときに胃が痛むなあ
人を憎んだりするとどうなるのかしら……

聖
では「念」が人間にどういう障害をひきおこすのか体験談をみてみましょう

## 妻の強い想いがもたらした夫の身体の不調

いつになく強い
憎しみの念を
抱いた翌日の朝
朝ごはんよー
まだ
寝てるの?
あなた
ウーッ
ウーッ
く、苦しい
息ができない
助けてくれー
あなたーっ

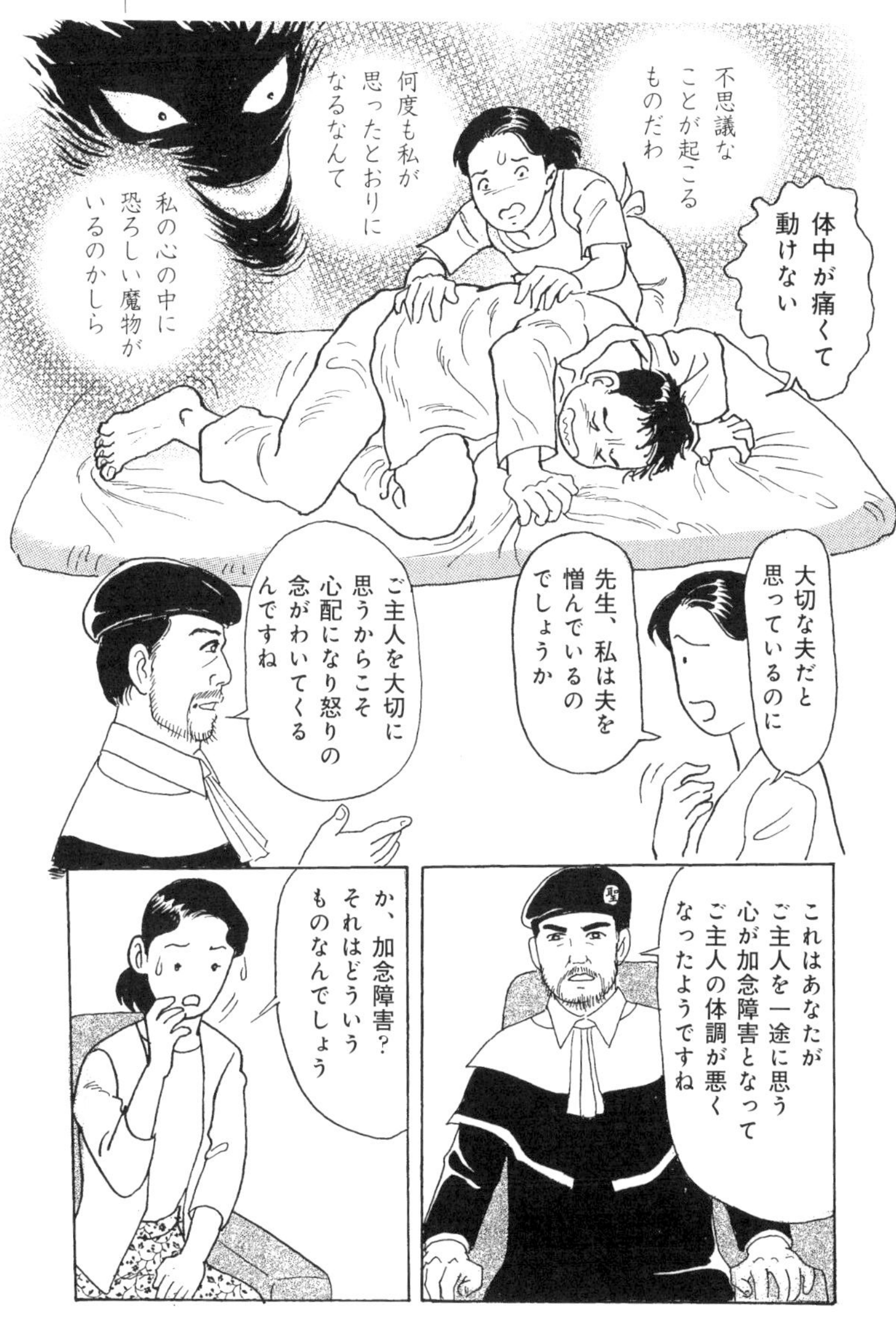

体中が痛くて動けない
不思議なことが起こるものだわ
何度も私が思ったとおりになるなんて
私の心の中に恐ろしい魔物がいるのかしら
大切な夫だと思っているのに
先生、私は夫を憎んでいるのでしょうか
ご主人を大切に思うからこそ心配になり怒りの念がわいてくるんですね
これはあなたがご主人を一途に思う心が加念障害となってご主人の体調が悪くなったようですね
か、加念障害？それはどういうものなんでしょう

愛憎の念も強くなりすぎると
障害となって
相手は命を落とす
ことにもなりかねません

えっ あたしが
夫の命を?!
そんなこと
望んでもいません
どうすればいいんですか?

今後はご主人との
生活の中でご自分の
想いを極力抑える
よう努力してみたら
いかがでしょう

ハイ、先生の
おっしゃることが
よくわかりました

ありがとう
ございました!

私たちの大半の悩み事は
相手に対する自分の考え方や
見方を少し変えることで
問題が解決し、恐ろしい
加念障害をさけることが
できるのですよ
今日からさっそく
変えてみましょう

## 母親の息子へのいきすぎた過保護

ハイ　朝ごはん
栄養をつけなくては
だめよ

ハイ
お肉よ
もう
……

20数年間、母親の盲愛の
念に抵抗できず、それを一身に受け
続けた息子さんの体に現れた
胃の痛みや、

クラ
クラ
めまいの解消にと
日神会に来られたが

たとえ今、神霊治療で
胃の痛みや、めまいを治しても
母親の念を停止させなくては
また再発するのは目に見えている
さて、どうしたものか……
治療後、息子さんの顔に
赤味がさしてきた

胃の痛みがとれて
スッキリしました
ありがとうございます
ホラね
お母さんの
言ったとおりでしょ
○○ちゃん！
うむ……困ったな
この母親の溺愛ぶりは
まるで愛の暴力では
ないか
お母さん、
息子さんの病状の
ことでお話が
あります
ハイ、なんでしょう
これからは息子さんを
あまりかまわず自由にして
あげてはいかがですか
えっ それは
どういうこと
ですか!?
母親が息子の
面倒をみて
どこが悪いんん
ですか
か、
母さん

先生のおっしゃるとおりだよ
母さんが面倒みてくれるのがアレコレ僕には辛くていやになるんだよ
だからもう止めてくれないかな
そ、そんな
ホッ
辛いっていうよりもう耐えられないんだ
妻と二人で母さんの目の届かない所へ逃げたくなるんだ
ええっ……
ワナワナ
私がこんなに息子を愛しているのに──
ワァーーッ
ひどい──っ

母親の愛情も度が過ぎれば
悪想念となってそれが愛する
子どもを脅かす凶器とも
なりうるんですよ
グス
息子さんのためを
思うのなら
干渉しないのも
親の愛では
ないでしょうか

そうですね
先生のおっしゃる
とおりですね
これからは
少しずつ努力
してみます
……
母さん！

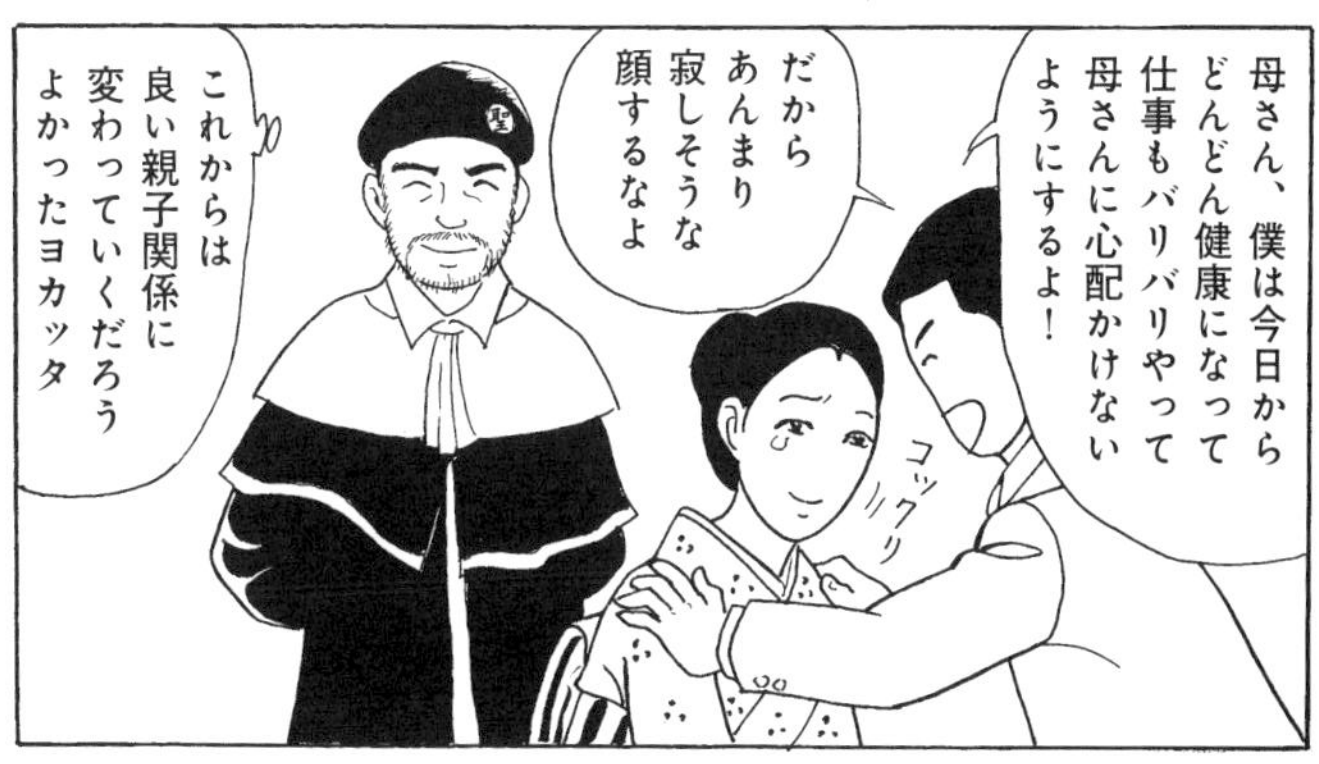
母さん、僕は今日から
どんどん健康になって
仕事もバリバリやって
母さんに心配かけない
ようにするよ！
コックリ
だから
あんまり
寂しそうな
顔するなよ
これからは
良い親子関係に
変わっていくだろう
よかったヨカッタ

## 子どもの将来を案じた母のしつけ

しかし母子の様子を観察してみると
もうっ おとなしく しなさい 何度言えば わかるの
ビクッ
オドオド
お母さんは子どもさんに対していつも言いすぎるのではありませんかね
えっ
そ、そんなことはないと思いますけど……ねぇ○○ちゃん？
そこでしばらく男の子と話しをすると安心したのか
キミの思っていることを話してくれないかな
うんいいよ あのね

コラ
ワー
ボクね、ママになにか言われるといつもぶたれているような気がして怖いんだ
まあ……そんな
ふむーこれは
両方に問題があるようだな
母親の強迫的な念と母の愛情を信じられなくなった男の子の落ち込んだ心はこのままでは霊の憑依を受けやすくなるので二人の心身の浄化を行った
そして親子ともども心の健康を取り戻すようアドバイスをした
一般的に大人が強いエネルギーを発すると子どもの純真な心に障害を与えてしまうことになりかねません
ゴメンね今までママが悪かったわ許してね
うんママ大好き

## 愛情の偏重が生んだ悲劇

仕事もせずに無収入で
住む家もないまま
結婚式を挙げた
パチパチ
パチパチ
ねぇ、聞いた〜
結婚祝いに親が
高級マンションの
一室を買い与えた
らしいわよ
!
それに新しい家財
道具一式も全部
そろえたって話よ
まー、あきれた
ヒソ
ヒソ
どうして
弟ばかり
いい思いを
するのよ
お待たせしました——
お色直しの新婦入場です
拍手でお迎えください
パチパチ
キレイ
ワー
ワー
もう
……

ドン
もう――っ
悔しい――!!
あたしが結婚した
時はなんの援助もして
くれなかったのに
弟にはマンションを
買い与えるなんて
同じ子どもなのに
どうして差別
するのよ
弟夫婦なんか
不幸になれば
いいのよ
呪ってやる――っ

そして結婚二年後、弟の妻は急性白血病を患い……

どうしたの
○○ちゃん

叔母さん
あたし たいへんなことを
してしまったんです

あたし、両親から溺愛されて生活している弟を憎むあまり弟のお嫁さんまでも憎んでしまっていたんです
怨
病気になって不幸になればいいって
……

だから彼女が難病になってあっという間に亡くなったのは あたしが怨み続けたせいなんです
ごめんなさい ごめんなさい

本当にごめんなさい 許してください

これは明らかに両親の片寄った愛情によって生まれた娘の怨念が引きおこした悲劇といえます

# 疑いの心が起こした返り念障害

息子さんの強烈な
反発心の攻撃を
受けながら母親の
浄霊を行いました

浄霊後
あーっ 先生
いままでの
辛かった症状が
すっかりなく
なりました!
そうですか
よかったですね

神さま!
ありがとう
ございました
おいおい 母さん ほんとか?
ほんとうに治ったのか
神なんているわけないだろ
10年間も薬を飲んでいて
治らなかったのに
たった5分間で治るなんて
ありえないだろ
騙されてんじゃ
ないのかよ

ほんとだよ ほんとうに
治ったんだよ
ウソだろ
しっかりしろよ
困った
息子だな
そこで息子さんと
問答していると
アレコレ
アレコレ
息子さんに
携帯電話が
かかってきました
息子さんは
電話に出るために
浄霊室の外に
出ていきました
襖を開けて
隣の部屋へ
入ったとたん
ドン
ものすごい音がして
一瞬、部屋全体が
揺れ動いたのです

ピイーーン
わわわっ
Bu
Bu
ど、どうしたんですか!?

これは
呪いだ

俺に呪いが
かかったんだ
助けてくれ～っ
ピーーッ
あんた
それは呪いが
かかったんじゃなく
あんたの暴言に
バチが当たったんだよ

く、苦しい、呪いを
解いてくれ～～
早く心から
お詫びしなさい
すみません、すみません
私が立ってここから
帰れるようにして
ください
まだ
手前勝手な
ことを言ってる

聖
自分が抱いた悪い念によって
自分が苦しむ「返り念障害」である
ことを説いて心から神にお詫び
するように言いきかせました

さて、ここまで
人間の抱く念による
「加念障害」と
「返り念障害」について
述べてきました
人間の心がある限り
心のあり方次第で
相手を苦しめたり病に
陥れたりしますので
ご自分の心の管理を
しっかり行っていただきたいと
思います

「念」にこれほど
強い力があるとは
知らなかったよ
相手を憎むあまり
病気にしてしまう
なんて恐ろしいわね
正しく清らかな
エネルギーを放射
するようにしよう

続いてパート3で
自念障害のお話を
しましょう！
えっ まだ怖い体験
談があるんですか
ちょっと〜〜やだな

# Part 3

# 悪霊を呼び込む自念障害

# 自らを傷つけてしまうマイナスエネルギー

ここまでは、人間が抱くさまざまな想い、すなわち「念」もエネルギーであり、他者に対する憎しみや恨みなどの強烈な念が、そのパワーによって相手の心身に害を与えたり、逆に返り念障害として自らの心身に異状をもたらしたりするというメカニズムについて述べてきました。

さて、ここであらためて確認しておきますが、人間は「肉体」と「頭脳」と「心（魂）」という三要素で成り立っていますね。そして、この三つのなかで主導権を握っているのは「心（魂）」であるということも、もう皆様はご承知のことだと思います。

すでに述べたように、私たち人間はつねにいろいろなことを考えたり、想ったりしながら生活をしています。喜怒哀楽といいますが、ときに人は言い知れぬ不安感や恐怖感にとらわれたり、極度の不満にいらだったり、とても拭い去れない強い悲しみに襲われて暗く落ち込んでしまったりします。そうしたとき、心はどんどん下へ下へと向かい、ますます悩みや苦しみが鬱屈（うっくつ）して自己の内面へ重くのしかかってきます。

「自念障害」とは、そうしたマイナスエネルギーが、他者にではなく自分自身に作用して事故や災難、あるいは病気などのわざわいをもたらす現象のことです。つまり、自分の心に湧いてくる極度な不安や悩み、心配事などが自分自身の心に圧力をかけてくる状態であり、そのマイナス想念が心から離れなくなった結果、体のあちこちに不調が表れたり、さまざまな悪現象を引き起こしたりしてしまうのです。ですから、一般に何事につけてもくよくよと気にしすぎる心配性の人、引っ込み思案で内向的な性格の人によく起こる現象だと言えるでしょう。

一人の人間の心身の活動を司る心（魂）が正常に機能しなくなり、肉体、頭脳、心のバランスが崩れてきますから、イライラも高じてくるでしょう。また、心のなかが暗い想念で満たされているわけですから、その想念が同じような暗い想念を持った霊を呼び込むことにもなります。つまり、自念障害を起こしていると、低級霊や悪霊の格好の標的となり、憑依（取り憑き）を受ける確率が非常に高くなるということなのです。

言葉の説明だけでは皆様におわかりいただきにくいと思いますので、ここで、不平不満の想いの高まりから自念障害を起こしてしまった女性の話を紹介してみましょう。

## 不平不満の想いが魂を苦しめる

この女性Dさんは、神霊治療（浄霊）を依頼してこられたにもかかわらず、浄霊室に入ってもじいっと下を向いたままで、なかなか口を開こうとしませんでした。顔色はどす黒く、表情もなにかを思い詰めたように固まったままでした。

症状について尋ねると、いつも頭全体が割れそうに痛く、家族とさえ口もききたくないとのこと。そして、たいした理由もないのに無性に悲しくなり、なんとなく生きているのがいやになるそうで、人生の暗いことばかりを考え、なにをやってもおもしろくなく、人と話しているとイライラしてすぐカッとしてしまうというのでした。

とっさに「これはウツ症状が招いた霊の障りに違いない」と思いました。

霊の憑依による霊障害には、肉体の痛み苦しみとなって表れる場合もあれば、精神面に表れる場合もあるのですが、Dさんの場合は、頭痛という肉体的な症状に加え、ウツという精神的な障害をも、もたらしていたのです。

浄霊は十分ほどで終了し、Dさんの症状はすっかり改善され、土気色だった肌には赤みが差し、どんよりしていた眼差しには強い力が感じられるようになっていました。

しかし、浄霊後の快癒感をたずねても、Dさんはなにも答えず、口を「へ」の字に曲げたまま、こちらを見据えるばかりでした。その顔つきからは激しい反発が感じられ、眼差しには挑戦的な光さえ差してきたのでした。

そこで再度、同じようにたずねたのですが、Dさんは挑戦的な態度を変えようともせず、「たしかに頭の痛みも治っていますし、ウツの感じも取れてスカッとしています。でも、いま良くなっていても、家に帰るとまた元の状態に戻るに決まっているのです」とやっと口にしました。

いったいどういうことなのかと疑問に思い、いろいろと質問を繰り返し、やっと得た答えは次のようなものだったのです。

Dさんはご主人に車で送ってもらって来会したのですが、そのご主人とも数ヵ月ほど口をきいておらず、車のなかでも沈黙のままだったとのこと。そして「家に帰ればまた症状はぶり返すに決まっています」と繰り返すばかりでした。

「その原因はいったいなんなのですか」と質問をすると、Dさんはこう答えました。

「家に帰ると主人の両親、それに主人の妹までいるのです。つまり、舅夫婦と小姑がいるということです」

その人たちはDさんに辛く当たるわけでもなく、むしろとても良くしてくれるそうで、Dさんは別に彼らを嫌っているわけではないというのです。なんとも理解不能な話なのですが、それではどうして家に帰ると気が滅入ってくるのでしょうか。さらに詳しく聞いてみました。

Dさんの家族は、ご主人と二人の子どもの四人家族。本来なら賃貸マンションでもいいので家族四人で住んで、将来はローンを組んでマイホームを建てたいというのがDさんの希望だそうですが、それは現在の生活では夢のまた夢。そんなことを考えていると、自然に気分がふさいできて憂うつになってしまい、頭も割れそうに痛みだし、誰とも口をききたくなってしまうというのです。

もちろん、このことはご主人にもお話ししたそうですが、ご主人はまったく取り合ってくれず、「だから家に帰ったら必ずまた気が重くなって、きっとまた頭が痛くなってくるに決まっています」と切実な表情で話してくれました。

ここまで聞いて、やっとDさんの心身を苦しめている根本原因が自念障害であることがわかりました。つまり、Dさんは自分の想いの念で自分自身を痛めつけ、苦しめているのでした。このままDさんを帰宅させてしまったのでは、せっかくの浄霊が無駄になってしまいます。Dさん自身がウツウツとして重い気持ちでいる限り、いくら神霊治療（浄霊）で憑依霊を外しても、また新しい暗く沈んだ想念の霊を次々と呼び込んでしまうことになります。

ここはひとつ、Dさん自身の想いの念を変えてあげなくてはならない、と思いました。

そこで突っ込んだ質問をDさんに投げかけていきました。ご主人の毎月の給与額、現在の七人家族の生活費など、家庭の経済的状況を詳しく聞き出したうえで、さらにいま住んでいる家屋敷のこれからのことを尋ねてみました。

「それはもう義父が主人と私を前にして、自分たち夫婦が亡くなり、妹さんがどこかへ嫁いだあと、家屋敷はすべて長男である主人に譲るとはっきり言っておりますし、義妹も嫁にいくまでのあいだこの家に住まわせてもらったら、結婚後はこの家屋敷の権利はいっさい要求しないと断言しています」とのこと。

そこで、一家四人で暮らす場合の賃貸マンションの家賃や光熱費、教育費などのほか、住宅ローンを組む際の頭金のことなど、細かな計算をしてから、Dさんにその数字を示しました。

まずマイホームを購入する頭金を貯めるだけでも十年はかかること。その十年のあいだ、極力生活費を切り詰めて過ごさなくてはならないこと。二人のお子さんもどんどん成長して、教育費もますます多額になること。そして舅さん夫婦はすでに七十代なので、失礼ながらいずれこの世を去られること。そうしたら、現在住んでいる家がDさん家族のマイホームになること。世の中には親からの財産贈与もなく、夫婦二人だけで頑張って生きている方々も多いなか、安定した今後の人生を与えられているDさんはとても恵まれていることなどをお伝えしました。

するとDさんは、少し恥ずかしそうな顔をしてはにかんだあと、それまでと違って素直な様子で話し始めました。

「わかりました。私が考え方を変えさえすれば、いまの生活のほうがずっと楽ですね。将来、マイホームも手に入るわけですよね。これからは現在の生活を大切にして一生懸命に頑張っていきます。まるで目からウロコが落ちたような気持ちです。きっともう、頭痛が起こることもないでしょうし、ひどいウツ症状も起きることはないと思います。本当にありがとうございました」

Dさんは晴れやかな笑顔で、何度もお礼を述べると、深く頭を下げて帰っていかれました。

このDさんのように、神霊治療（浄霊）のなかには、霊のわざわいを解くだけでは問題が解決しない場合もあります。そうしたときは、本人の念を修正してあげなくてはなりません。そうしないと、せっかく浄霊で症状が無くなっても、本人の発する間違った念の力によってまた霊を呼び込むことになってしまうからです。

さて皆様、このDさんの事例からも自念障害の恐ろしさをわかっていただけたと思います。人は知らないあいだに自分がつくりだした想い（念）によって、自分自身の魂を苦しめることがあります。そして、苦しめられている魂は、自分の知恵や肉体をコントロールする支配機能に支障をきたし、そこに痛み苦しみの病気という憑依現象（霊障）が起こってきます。それが肉体面に表れるか、精神面に表れるか、あるいはDさんのように肉体と精神の両方に表れるか、それはわかりません。いずれにしても、すっきりとした爽やかな想い（心）が大切であることは言うまでもありません。

## 悪想念を打ち消す「反省」の力

私たちは決して完璧な存在ではありません。ですから、少なくとも一日に一度は自分自身の言動を振り返り、意識的であった場合はもちろんのこと、仮に無意識であったにしろ、なにか人様を傷つけるような言葉を口にしなかったか、人様にいやな感じを与える態度を取ったことはなかったか、その日一日の自分自身を反省する時間を持つことが大切です。

こうした反省の心がなければ、いつまで経っても相手の念を受け続けることにもなり、それが加念障害となって我が身に降りかかることもあります。そのうえ、反省する心を持たずにいつまでも他人に対して怒ったり、恨んだり、呪ったりする感情を持ち続けていると、自分で自分の魂を縛り上げる結果にもなってしまいます。それこそが自念障害というものなのです。

夜、眠りにつく前に、わずか五分でもかまいません。静かにベッドのなかで一日を振り返り、もしも「今日あの人にあんなことを言ったのは間違いだった」と気がついたら、翌日、その人に率直に謝ったらよいのです。

そして、日神会祖神 天地創造「素の神」、日神会守護神 聖地恩祖主本尊大神「聖なる御魂親様」、そして教祖神 隈本確御真体に、また、自らの魂（日神会では「魂の親様」と呼んでいます）に、心の底からのお詫びを申し上げることです。

「今日、私は同僚の○○さんに、嫌味なことを言って○○さんの心を傷つけてしまいました。今後は絶対にこうしたことのないように注意いたしますので、どうか今日の私の言葉の間違い、行動の間違いをお許しくださいませ。そして相手の念を受けるようなことがないよう、どうかお守りください。よろしくお願い申し上げます」。

それが本当に心の奥底からの強い願いであり、祈りであれば、御守護神は相手の念から守ってくださいます。

私自身もそうですが、人間は将来神となる魂を有してはいても、肉体と頭脳を持つ人間ですから、不完全で未だ神とは程遠い存在です。ですから、毎日の生活のなかで、よほど厳重に自らの心を監視していかなくてはならないのです。自分自身が抱いてしまった悪想念によって自らの魂を汚してしまうこと、それによって自念障害を招くこと、そうしたことは絶対に避けなければなりません。

もちろん私もつねに自らの心を見つめて管理を厳しくし、神の御心に背く言動をすることなく精進することを心がけております。皆様もどうか、「反省」という大切な心の作業を怠ることなく、心して毎日を過ごしていただきたいと思います。

## 目に見えないエネルギーの波動

私たちの住む地球もそのなかの一個の天体である大宇宙。その大宇宙をも霊界をも神界をも含む大霊界の営みは、すべてエネルギーの作用で成り立っているということは、本書の冒頭部分ですでに述べました。そして、神も霊も、そして私たち人類もエネルギー体であるということもお話ししました。つまり、神や霊のみならず、私たち人間もつねにある種の波動エネルギーを周囲に発散させているわけです。また一方、私たちは人類始まって以来、生まれては死んでいった無数の先祖たちが霊界から投げかけてくるいろいろな波動エネルギーに絶えずさらされてもいるのです。

そして、これまで述べてきた念というものも一種の波動エネルギーですから、私たちは自らも波動エネルギーを発していると同時に、生きている他の人間からも、死んだ人間（霊）からも、四六時中いろいろな波動エネルギーを受けていることになります。

しかし、人間の心や霊の存在が目に見えないと同様に、波動エネルギーを肉眼で見ることはできません。なんらかの意志と方向性を持った強い波動エネルギーが、現象界にある「一つの事実」を持って具現化されてはじめて、私たちはその波動エネルギーの結果を認知するわけです。

ところで、皆様は「なんとなくいい人だ」とか「なんとなくいやな人だ」とか、あるいは「なんとなく今日は良いことがありそうな気がする」とか「なんとなく今度の旅行には行きたくない」とか、「なんとなく」という言葉をきっと使ったことがあると思います。そんなときはどんな想いでいるでしょう。おそらく深い考えを持っているわけではなく、それこそ「なんとなく」なのでしょう。

「あの人が好き」「あの人が嫌い」にしても、「なんとなく」が付く場合は、その判断に明確な理由はないでしょう。にもかかわらず「なんとなく」ある特定の人を恋しく想ったりするのは、いったいどうしてなのでしょうか。

理屈では説明できないこの人間の感情、想いというものが、いったいなにを根拠にどこから生じてくるのかと考えてみると、そこに目には見えないエネルギーの波動というものが存在していることがわかってきます。

例えば、特定の誰かのことを深い理由もなく「なんとなく好きだ」と感じた場合は、その相手が発散している波動エネルギーを感性（心）でキャッチし、その感性でその波動エネルギーを好ましいものだと判断しているわけです。

ただし、ここでいう「感性（心）」とは、一般的にいう五感（視覚・聴覚・嗅覚・味覚・触覚）に訴えてくる感性ではなく、五感を越えた世界で感じられる超感覚的感性とでも言うべきものなのです。そして、よくよく考えれば、私たち人間がいかにしばしば、この超感覚的感性の指示するところによって物事を判断したり、決断したりしているかに気づくでしょう。

つまり、私たちは目に見えない多くの波動エネルギーを、私たち自身の目には見えない心（魂）の力でキャッチし、判断を下し、決断しているということなのです。

なにも言わなくても一緒にいるだけでこちらの心が安らぐような人もいれば、一緒にいるだけで心がウキウキと楽しくなってくるような人もいます。これは、その人が優しく和やかな波動エネルギーを投げかけているからであり、陽気で明るい波動エネルギーを投げかけているからなのです。また、逆に一緒にいるだけでこちらの気分まで暗く沈んでくるような人もいます。これは、その人が暗くて陰気な波動エネルギーを発しているからなのです。

しかし、ひと口に波動といっても、その種類は無数にあります。これは、死者の霊魂や人間の魂にもいろいろな段階があり、それぞれ程度が違っているということを考えれば、容易に納得していただけることだと思います。

先に、心の管理の大切さについて述べましたが、言い換えれば汚れた想念から発せられる汚れた波動、悪意に満ちた心から発せられる悪の波動を発することのないように気を配り、逆に清らかな波動を発することができる清らかな心をもつことができるように、自らの想い、心をつねに反省し、改善していかなければ決して幸せにはなれないということなのです。

# 人間関係は心の波動エネルギーのキャッチボール

これはつい最近、天界道儀式を受けに来会された高齢の女性Eさんから伺った話です。Eさんは私の前に座るとすぐに頭を下げ、「先生、長いことご無沙汰いたしまして申し訳ございません。じつは私、五年前に一度先生のお世話になっているのです」と言われました。

「そうでしたね。お申し込みの書類に書かれていましたよ。その際は、あなた様ご自身のパニック障害についてのご依頼でしたね。その後、心身の状態は改善されておられると思いますが……」

「はい、先生にご指導いただいたように、お医者様に処方してもらった薬も飲み続け、もちろん神様のお力を戴くお祈りも毎朝晩と行っておりました。おかげさまで、この五年間で胸の痛みも感じなくなり、人混みに出てもさほど不安を感じることもなくなってきております。ありがたいことでございます」

「それはよかったですね」

私はにっこりと笑顔で答えながら、それとなくEさんの様子を観察してみました。皆様ご承知のように、現在の日神会は現代医学を否定するものではなく、むしろ医学による治療と神霊治療（天界道神技による症状の改善）とが両々相まって、人様の痛み苦しみを取り除くことこそが望ましいという考え方をしておりますから、Eさんにも当時服用していた薬を止めなさいとは指導しませんでした。

かつてEさんを苦しめていたパニック障害というのは、それまで健康で普通に生活していた人が、突然、なんのきっかけもなく心身の急激な発作に襲われるというもので、肉体的には動悸や息切れ、呼吸困難、めまい、吐き気などの症状、精神的には気が狂ってしまうのではないか、このまま死んでしまうのではないかなどという恐怖感に襲われるというものです。

その発作は少し安静にしていれば十分ほどで治まるのですが、またいつ起こるかわからないという不安感がつねに心に付きまといます。そのために、一人で電車やバスに乗ったり、人混みのなかに出かけたりすることができなくなり、日常生活がまともに送れなくなるのです。スーパーのレジの列に並ぶことさえ不安になるという具合ですから、Eさんは主婦としての仕事をするのもたいへんに辛かったはずです。

気になった私が当時ものの本でちょっと調べたところでは、原因は脳内物質の異常な分泌にあるそうで、治療法はその異常な分泌を調整する薬物の投与、あるいは少しずつ発作に対する過度の不安を修正していく認知行動療法というものがあるようでした。まるで霊の急性憑依のように突然に発作が起きるわけですから、天界道神技に出番があるとすれば、神の強いエネルギーによって脳の異常を治め、不安な心を鎮めてあげること、すなわち清らかで穏やかな神の御心をふんだんに与えてあげることでしょう。医師に処方された薬の服用と並行して、神のエネルギーを戴く祈りを続けること、それによってEさんの症状は徐々に改善されたわけです。

「それで、今日はなにか折り入って私に依頼したいことがあるそうですが、いったいどんなことなのですか」

私は依頼書を見ながらEさんに問いかけました。Eさんは少しばかり戸惑いを浮かべてうつむいていましたが、思い切ったように私の顔をしっかりと見つめて話し出しました。

「先生、神様のエネルギーは偉大なる愛そのものだと伺っておりますが、その神様の愛の御心をなんとか私にもお与え願えないでしょうか」

「Eさん、それはあらためて申し上げるまでもなく、日々の祈りのなかで『神のお命、エネルギー、英知、御心を私にください』とお願いすることで、愛の御心は充分に戴けているはずですよ」

「はい、それは承知しているのですが、じつは……」

ふと口をつぐんでしまったEさんに、私は穏やかに語りかけました。

「戸惑うことはありませんよ。私たちが神の御前で伺ったことは、決して他者に漏らすことはありません。遠慮なくなんでもお話しになってみてください」

「ありがとうございます。じつは夫のことなのですが、私が先生に浄霊を戴いて一年ほど経った頃から夫の物忘れがひどくなり、そのうち自分の名前を書くことさえできなくなりました。それから四年、現在、医師に告げられている病名は『進行期のアルツハイマー型認知症』というもので、単純な物忘れなどではありません。

昼夜を問わずつねに落ち着かず、下駄箱やタンスを開けてはなかの物を取り出したり、中身を入れ替えたりするかと思うと、ときにはトイレに入ってロールペーパーをたくさん千切って畳み、それを部屋のタンスの上に積み上げたり、とにかく奇行が目立つようになりました。

また、なにかというと家の外へ出かけたがり、これまでに一度は夜中に近所を歩き回って、探し当ててみると額から血を流していて救急車で搬送されたことがありました。またその後、二度ほど遠方への徘徊(はいかい)で警察のご厄介にもなりました。気分の急変もよくあり、私がなにかしら注意をしたり、なにかちょっとでも気に入らないことがあると、すぐに不機嫌になり、声を荒げて私や回りに怒りをぶつけるのです。もう私のほうがストレスでいっぱいになり、また持病のパニック障害が悪化しそうな気配もするのです」

「なるほど。たいへんな状況になっているのですね。それでご主人の症状は突発的に表れたものですか、それとも徐々にひどくなったというものですか？」

私がEさんにこの質問をしたのは、急激に起こった認知症のような症状の場合、霊の憑依によるものの場合もあるからなのです。現に、かつて熱心な会員の方が、急に知能に異常をきたした親御さんの頭に浄霊をほどこし、スッとその症状を解消させたという例もありました。

ところがEさんのご主人の場合は少しずつ、少しずつ症状が進んだのだそうで、これは霊の障りとは違っていると思われました。

「最初におかしいなと思ったのは、私の姪の結婚式に出席するために礼服を着ていたとき、『あれ？ ネクタイが結べない。どうやるんだったっけ？』と私に聞いてきたときでした。夫は当時すでに八十歳を越えており、当然もう仕事は辞めていましたが、それでも長年サラリーマンを続けてきた夫が、ネクタイの締め方を忘れるなどちょっと考えられません。私も締めてあげることはできなかったので、仕方なく式場へ着いてから親戚の者に頼んで締めてもらったのですが、私はなにか変だなと思う気持ちを消すことができませんでした。

次にびっくりしたのは、夏になって私が枝豆をゆでて冷ましておいたところ、ふと気づくとその枝豆の豆は捨てられサヤだけがザルに入っていたのです。「お父さん、なにやったのよ」と思わず問いただしたのですが、夫はなにがおかしいんだという顔をするばかりで、なぜ私が驚いたのかわからない様子でした。

これはひょっとして……と不安になった私は、二人でかかりつけの内科を受診した際、そのことを医師に告げました。医師は夫の前に紙を置いて時計の絵を描かせ、十時十分の針はどこを指していますかと尋ねました。なんと、夫は十時十分の針の位置を描くことができなかったのです。私は背筋がぞっと寒くなる思いがしました。

その後、頭のＭＲＩ検査をした結果、夫は認知症と診断されました。そして投薬が始まったのです。それでも、それから二年ほどのあいだは症状もあまりひどくなく、私が忙しいときには自転車で買い物に行ってくれたり、夕食の下ごしらえをしてくれたりと、ふつうの人と変わりなく過ごしていたのですが、三年ほど前からぐんと症状が進み、自分でヒゲを剃ることもできなくなり、ふつうでは考えられないような行動をするようになってきたのです。

それでご近所の方の勧めもあって、市役所で介護認定をしてもらうことにいたしました。結果は要介護2というものでしたので、すぐに近くの介護センターにお願いしてケアマネージャーを紹介してもらいました。幸いなことに、とても親切な女性のケアマネージャーさんに出会うことができましたので、以来、その方になんでも相談してまいりました。二度ばかりデイサービスの施設を見学させてもらいましたが、夫はいやがってなかなか受け入れません。それでなんとか私が頑張って家で面倒をみていたのですが、三ヵ月、半年と経つうちに、夫は新聞や文庫本を読めなくなったばかりでなく、先ほども言いましたように、自分だけではシャワーを浴びてヒゲを剃ることもできなくなってきたのです。

そこで四年目に入る頃、再度介護認定を受けたところ、夫の状態は要介護3に進んでいました。やはりデイサービスに通うようにしないと面倒をみる私のほうが疲れてしまうというケアマネージャーさんの強い勧めで、認知症専門のデイサービスに週に何度か預かってもらうことにしました。夫は今度の施設にはなじんだようで、なんとか週に二回、その施設にお世話になることができるようになったのです。

それでも症状は進む一方ですので、夫の様子を見た内科の医師が認知症専門の病院を紹介してくださいました。ちょっと遠くにある病院でしたが、すぐに予約を取って夫をタクシーで連れていきました。その病院であらためてMRIをはじめいろいろな検査をした結果、夫は進行期のアルツハイマーだと宣告されたのでした。

認知症のための薬と睡眠導入剤を処方されましたが、夫はそれでも寝つきが悪く、ときには自分がなにもわからないことに強い不満と不安を覚えるようで、夜中に私のベッドのそばへ来て、『俺はどこへ行ったらいいんだ。なにもわからない。どうしたらいいかわからない。なんとかしてもらえないかなあ』などと涙声で話しかけ、ひどいときには私の腕にすがりついて泣くのです。かわいそうでたまらないのですが、どうしてあげることもできないのです。私も泣きたくなるのですが、それをぐっところえて、『私がいるから大丈夫よ。夜は静かに寝なくちゃダメよ』と言って背中を撫でてあげて、そうした場合に飲ませるように言われている薬を飲ませて、夫のベッドに連れていき、赤ちゃんを寝かしつけるようにトントンと軽く肩や背中を叩いてあげると、少しずつ不安は鎮まるようで、そのうち寝付いてくれるのです。

こんな症状が出ると本当に夫がかわいそうで、なにもしてあげられない自分が責められているようで辛くなるのです。

デイサービスでは夫もずいぶん明るくなって、スタッフの方々や仲間の患者さんと一緒に風船バレーやバランスゲームとかを楽しんでいるそうで、よい施設に巡り合えてよかったとほっとしていました。車で送り迎えをしてくれるので、とてもありがたく、夫を送り出したあとはほっとして、未だ続けている自宅勤務の仕事や家事に励むことができるのですが、夫が帰宅する時刻が近づくとどうも胸に不安がよみがえってきます。

最近では、デイサービスを週に五日に増やし、さらに特別養護老人ホームのショートステイにも月に二回、二泊三日で預けているのですが、体の疲れも神経の疲れも楽になる一方で、夫だけを施設に閉じ込めて、私だけが呑気にしていることが夫に申し訳なくて、哀しく、辛く、なんとも落ち着きません」

そこまで話し続けたEさんは、ふっと肩の力を抜いてため息をつきました。

「なるほど、それは辛いですね。それで、あなたが神の愛の御心を戴きたいというのは、あなた自身の心の平安のためなのですか」

「そうじゃありません」

Eさんは急に顔をゆがめて泣き出しそうな表情で私に訴えました。

「先生、私は悪魔のような女なのでしょうか。私は冷たい女なのでしょうか。夫のことを心から心配し、一緒に苦しんでいるつもりでいながら、あまりにも奇妙なことをしでかすときなどは私のほうがイライラして、『お父さん、なにやってんのよ！』と大声をあげてしまったり、『何度言ったらわかるの！』とか『クツを履いたまま部屋に上がっちゃだめじゃない！』などと鬼のようにおこったり叱ったりしてしまうのです。

機嫌がよいときの夫はニコニコと優しくて、ときにはひょうきんな動作をしたりして二人で笑い合いますし、また、デイサービスから帰って部屋に飾ってある花を見つけると『うわあ、きれいだなあ』と子どものように嬉しそうにはしゃいだりするので、夫がかわいくてかわいくてたまらなくなります。

それなのに、毎晩続けてトイレの床の上に小水を漏らしたりされると、極端なときは、心のなかで『あんたなんか、いないほうがましよ。もう死んだほうがいいんじゃないの』などと、自分でも驚くような悪意に満ちた暴言を吐いているのです。夫の機嫌もコロコロ変わりますが、私も同様で、夫を愛しいと思う反面、邪魔な存在だと憎らしくなるときもあるのです。そんな自分がとても恐ろしい人間に思えて……。

なぜ、いつも平静で落ち着いた対応ができないのか、どうして私は怒りっぽくなってしまったのか、私には愛の心が不足しているのではないか、そんな自分が苦しくてたまらないのです。辛くてたまらないのです。それで、神様のようにつねに百パーセントの愛の心が持てたらと思いまして……」

「なるほどね。しかし、それは無理な相談ですよ。あなたは神様ではありません。あなたは生きている人間です。肉体も頭脳も心も持っている人間なのですよ。あまりにイライラして怒りの心を持つのも仕方のないことではありませんか。自分は悪魔のような人間だなどと考える必要は決してないのですよ」

そう話しかけながら、私はふと思ったのです。

これは、もしかして一種の自念現象ではないだろうか、と。

そこで私は急にご主人のこととは違った質問をしてみました。

「Eさん、ちょっと話題はそれますが、あなたには、その心の苦しみ以外にどこか体に具合が悪いというところはないのですか」

「そう言えば、この頃、よく胸が痛くなったり、すごく咳き込んだりしますし、首筋から肩にかけて息が詰まりそうに痛んだりします。いまもお話ししているうちに、胸が締め付けられるような痛みを感じていました」

「なるほど、わかりました」

そこで私は、とにかくEさんに天界道神技（神霊治療）をほどこし様子を見ることにしたのです。結果、胸の痛み、首筋から肩の痛みなどはすっきりと解消され、また胸の浄霊をしたのちには「ああ、先生、なにか爽やかな風が吹き抜けたように胸のあたりがすうっと軽くなりました」と、Eさんはそれまでの落ち込んだ様子から解き放たれたように明るい表情になりました。

現在は依頼者も多くなっていますので、このように時間をかけて一人の依頼者の方の訴えに耳を傾けるということはあまりできないのですが、「神の愛の御心を私にも戴きたい」というEさんの必死の想いが私の心にも伝わってきましたので、Eさんが胸に抱えている苦しみをすべて吐き出してもらうことにしたのでした。

先にも述べたように、自念障害の場合は、天界道神技（神霊治療）のあと症状が解消しても、自分を責める心がなくならない限り、また同じことの繰り返しになります。それを避けるには、Eさん自身の心の持ち方を変えてあげなくてはなりません。

「Eさん、先ほども言ったように、あなたは肉体と頭脳と心を持った人間です。ご主人の介護でそのすべてが疲れ切っているあなたが、我慢の限度を越えてついイライラしてしまうのも当然のことなのですよ。ご主人の感情の極端な変化は病気のせいかもしれませんが、愛と憎しみに揺れ動くあなたの心の変化は人間であれば当然起こることなのです。知能が衰え、自分が何者なのかわからなくなって恐怖にとらわれるご主人ももちろん苦しいでしょうし、それを見ているあなた自身も、まるで自分のことのように辛いことでしょう。しかし、ご主人の病は進行期のアルツハイマーということですから、その症状が元に戻るということはないのです。その経過をしっかりと見守ってあげること、ご主人の母親になったつもりで対応すること、それだけで、ずいぶん心は軽くなってくると思いますよ。

あなた方ご夫婦はきっとお互いにとても相手を愛しているのですね。私にはそれがとてもよくわかります。ご主人はひたすらあなたを頼りにし、あなたに甘えかかっているのでしょう。あなたはそのご主人を心から愛しているからこそ、ときに怒りの心も湧き、それを後悔したりもするのです。断言しますが、あなたは悪魔のような人間では決してありませんよ。むしろ愛情に満ちあふれた方だと私は思いますよ」

「先生、いま思い出したのですが、夫はなにか私の役に立ちたいと思っているようで、プラスチックのゴミ箱から廃棄用のビニール袋にゴミを移してくれたり、できあがった料理をテーブルに運んでくれたりすることもよくあるのです。ときにチンプンカンプンなこともしでかしますが、それも病気のせいで、私の手伝いがしたいという気持ちはとても嬉しいものなのです。ですから、そんなとき私は必ず『ありがとう』と言いますし、そうすると夫もニコニコと嬉しそうに笑うのです。

クツを畳の上に持ち込んだりしたときなども、またやってくれたなと穏やかな気持ちで受け止め、『お父さん、そんなことしたら駄目でしょ。クツは玄関に置いてくださいね』と優しくたしなめたときは、『そうなのか』と言って自分で玄関に戻しに行きます。逆に『なにやってんのよ、お父さん。クツを部屋に持ってきたら駄目じゃない！』と叱ったときは、夫も激昂してクツをバンと床に投げつけたりします。そして口論になってしまうこともあります。それも私の対応が悪かったせいなのです。

そうですね、先生、私が優しい気持ちで対応すれば、夫も素直に言うことを聞いてくれますし、私が苛立って対応すると夫も苛立って『なに！』と怒鳴るのですね。やはり私の心の持ち方で夫の機嫌も良くなったり悪くなったりするのですね。夫の反応が私の夫に対する接し方（心）を表わしているのですね」

「そのとおりですね。人間の心はその瞬間瞬間に揺れ動いております。そしてその心のエネルギーは波動となって相手に伝わり、それに対する相手の反応も心の波動のエネルギーとしてあなたに返ってくるのです。相手の態度は自分の心の鏡だと私はよく話すのですが、ご主人の不機嫌はあなた自身の不機嫌の表れだと受け取って、そのたびに反省していけば、あなたの心もすっと晴れやかになっていくはずですよ」

私の言葉をうんうんと頷きながら聞いていたEさん……。

「わかりました。先生、私は毎朝晩、夫の症状が進行しませんようにと神様に祈っていますが、同時に夫と私に偉大なる神様のお命、エネルギー、英知、そして限りない神の愛の御心をお与えくださいと祈ってもいます。それでよいのですよね。神様はきっと私の願いを叶えてくださいますよね」

「そうですよ。Eさん、私は人と人の関係は心の波動エネルギーのキャッチボールだと思っています。上手く投げて、上手く受け取って、そのボールをまた投げ返す。そうして楽しくキャッチボールが楽しめたら、その人たちは幸せになれるのです。あなた方ご夫婦のお互いに対する深い愛情というすばらしい愛のエネルギーが、きっと病との闘いを助けてくれます。神も必ずご加護をくださいます。ご自身の心をつねに見つめて反省すること、そして、ひたすら神に祈ること。それを実行していれば、お二人はきっと穏やかな闘病生活、介護生活を送っていけると思いますよ」

「先生、ありがとうございました。昨日、今日と夫はショートステイに泊まっていますが、明日の夕方には帰ってきます。夫の好物を愛情を込めてつくって、明るい笑顔でお帰りなさいと迎えてあげたいと思います。私が変われば夫も変わるのですよね。心の波動のキャッチボール。よくわかりました。ありがとうございました」

Eさんは深々と頭を下げ、浮き立つような様子で帰っていかれました。

当初、私はご主人の「助けてくれ」という念がEさんを苦しめているのかと思いもしましたが、それはないと考え直しました。認知症の方は極端に物忘れがひどく、つい先ほどのことも記憶からすぐに消え去ってしまうのですから、自分がなにかで怒ったことも怖がったことも、なにもかも覚えていないのです。ですから、他者に対する強い念をつのらせ、そのエネルギーを発生させることはないはずです。やはりEさんの胸の痛みや首筋から肩にかけての痛みは、Eさん本人の自分自身を責める思いつめた念がもたらしたものだったに違いありません。

それにしても、Eさんご夫婦は本当に心から愛し合っているのだなあと、思わず実感する出来事でした。

ここまで自念障害の事例を紹介しましたが、心の管理の大切さ、難しさをご理解いただけたでしょうか。先にも述べました、自念障害を起こしている暗い想念は、同じような重苦しい想念を持った霊の格好の餌食（えじき）となり、霊の憑依を受けやすい状態にありますので、自らの心を清浄に保つために反省すべきは反省し、間違っても念による障害に陥ることのないよう気をつけていただきたいと思います。

## PART 3 マンガまとめ 悪霊を呼び込む自念障害

夫の両親の家で
夫の妹とも同居生活
をしていた
Dさんのウツ症の
原因は家族問題と
いうことか
しかし、その人たちは
Dさんに辛く当たる
わけでもなく
むしろ優しくして
くれるそうです
?
ええ、それじゃ
どういうことかな

Dさんの夢は将来
憧れのマイホームを
建てて、家族４人で
暮らすことでした
いってらっしゃい

しかし現在の生活を
考えると
まだまだお金が
足りないわ～
○○銀行

あーっ もう
どうすれば
いいのよぉ～

アレコレ考えると
頭が割れるほど
痛くなって
ズキッ ズキッ

誰とも口をききたく
なくなってしまう
ねえー
○子さん
……

あなたァ
忙しいから
そのうちに
悩みをいくら夫に
相談してもとりあって
くれないんです……
なるほど
そういうことが
原因だったんですか

あなたの頭の痛みと
ウツ症は自分の想いの
念で自分自身を
痛めつけている
自念障害
です！
ビクッ
えっ?!

これは あなた自身の
想いを変えなければ
いくら治療しても
治りませんよ！

私の気持ちを？
どう変えれば……
よろしいんでしょうか

そこでDさんの問題を
解決するために先々の
相続などについて
尋ねてみると

私達夫婦が亡くなった
後は家屋敷はすべて
長男に譲るよ
な！
ええ
そうよ

私がお嫁に行くまで
この家に住まわせて
もらったら結婚後は
家屋敷の権利は
いっさい要求しないわ
ぜーんぜん

相続になんの問題も
ないようですから
残る問題はDさんの
家庭の経済状態です

まずマイホームの頭金を
貯めるだけで10年は
かかります
二人のお子さんの
教育費も多額に
なることを
思えば
今の同居生活を
続けていくのが
経済的に一番良い
方法ではありませんか

世の中には財産贈与もなく、夫婦二人だけで頑張って生きている方々が多いなか、Dさんはとても恵まれていますよ
そうですね私が考え方を変えさえすれば良い方向へむかっていけますね

これからはもう頭痛やウツ症状も起きないと思います！

Dさんはご主人の迎えの車に乗って晴れやかな笑顔で帰って行かれました

自念障害はとても恐ろしいものです自分の想い（念）によって自分自身の魂を傷つけ苦しめてしまいます
そういうことにならないよう爽やかな心で生きることが大切です

## 人間関係は心の波動エネルギーのキャッチボール

高齢の夫の様子が気になり診てもらうと
医院
?
10時10分の時計の針が書けず
12
3
6
9
認知症の始めかもしれませんがしばらく薬をだしておきましょう
ハイ
お薬のおかげで2年ほどはふつうの生活が続けられました
ところが3年目から昼夜を問わずに落ちつかず
キョロ
キョロ
下駄箱やタンスの中の物を取り出しては入れ替えたり
ポイ
ポイ

ある時、買い物から
帰ってくると
夫はトイレに

アラアラ
またドアを
開けっ放しで

ビチャ
ビチャ

もう——っ
なにしてるのよ
ちゃんと便器の
中へしなさいよ
だらしない！

また、別の日には
靴を持ったまま
座敷にきたので

ダメでしょ
靴は下駄箱
にしまって

ムカッ

うるさい
何度も
言うな

ガッ

夫のことを心から
心配し、一緒に苦しんで
いるつもりでいながら
つい怒りで憎らしく
なるんです
毎日の生活の中で
イライラしたり
怒ったりするのは
しかたのない
ことです

どうして夫に優しく
言えないのか
自分には愛の心が
ないのではないかと
辛くてたまりません
神様のように
百パーセントの
愛が持てたら、と
それは無理な相談ですよ
あなたは神ではありません
生きている人間なのですから

そうですよね
無理ですよね
……私なんか
シュン

聖
Eさんの場合も
明らかに自念障害
であった
自分を責める気持ちが
なくならないかぎり
また同じ悩みを繰り返す
ことになる

私はEさんにご主人のこととは違った質問をしてみた
あなたには心の苦しみ以外にどこか体の具合が悪い所はありませんか
ハイ、日頃胸が痛くて咳き込み、今も首筋から肩にかけて息が詰まりそうに痛みます

そこで私はEさんに天界道神技を施して様子をみることにした
聖

また胸への浄霊も行いました

先生、ありがとうございました
胸に爽やかな風が吹き通ってスッキリしましたわ
おかげで夫に優しくできそうな気持ちになりました

何度も感謝の御礼をのべてEさんは帰って行かれた

人間の心はさまざまに揺れ動きます
そしてその心のエネルギーが波動となって相手に伝わり、それに対する相手の反応も心の波動のエネルギーとしてあなたに返ってくるのです

人と人の関係は心の波動のキャッチボールです
愛というボールを投げれば愛が返ってきます
楽しいキャッチボールをしましょう

神は必ずご加護をくださいます

# Part 4

# 霊媒体質と悪魔の存在

## 霊媒体質、霊媒心質とは

さて、前章（Ｐａｒｔ２、Ｐａｒｔ３）では、加念障害、返り念障害、自念障害といった念エネルギーについて述べましたが、このような念による障害を受けやすいという方は、その多くが霊媒体質者であるとも言えます。

霊媒体質については、初代会長 隈本確著の『恐怖の霊媒体質』や、私の著書である新大霊界シリーズ⑤『霊媒体質の克服』にも詳しく記していますが、ここであらためて述べておきたいと思います。

「霊媒」の意味を辞書で調べてみますと、「神霊や死者の霊と人間との間の意思伝達の仲介をするとされる人」「口寄せ、巫女、市子の類」などとあります。つまり、現界と霊界の仲介者であり、死者の霊を自分の身体に呼び入れて、その霊の想念を言葉やしぐさなどで表現することができる一種の霊能力者のことを言います。

しかし、ここでいう霊媒体質とは、一般の人よりも霊との波長が合いやすい人、霊に取り憑かれやすい体質や心質をもった人のことを言っています。

自分はそんなことはない、と思われる方もいるかもしれませんが、ごくごくふつうの人であっても、ときに暗く落ち込んだ心を持てあましたり、苦労の連続にくじけそうになったり、もう駄目だというようなマイナスの想念を持ってしまったりすることは多々あるのではないでしょうか。そのような心の状態の方には霊が取り憑きやすくなる、つまり一時的に霊媒体質、霊媒心質になってしまう場合があります。そうした落ち込みは鬱症状を引き起こす場合が多いですので、その心にも低級霊は容赦なく取り憑いてくるのです。

投資が上手くいかなくて大損害を出してしまった、「もう俺はおしまいだ」。事業に失敗して多額の借金を抱えてしまった、「もう死ぬしかない」。長く付き合ってきた恋人に捨てられてしまった、「もう私は生きていられない」。等々、死ぬほど辛い状況に追い詰められることは、いつ誰にでも起こり得ると言えるでしょう。

しかし、「神は乗り越えられる試練しか与えられない」という言葉があります。死ぬほど辛い。死ぬしかない。本当にそうでしょうか。苦境を乗り越える精神力は、「ヨシ！　必ず解決してみせる！」と決意すれば誰にでも発動することができるはずです。自分はもう駄目だと諦めてしまったとき、それが知らず知らずのうちに「死」

への誘惑として覆いかぶさってくるのです。

「もう駄目だ」という極端に落ち込んだ心には、ここぞとばかりに低級霊が押し寄せてきます。そしてその人間に取り憑いて、自殺へと追い込むかもしれません。ですから、自殺も霊が引き起こす霊障の結果である場合が多いと言えるのです。

自分は生きていてもしょうがない人間だ。死のう、死のう、「もう死んでやる」。

この想いが心から離れなくなると、人は実際に自殺という自ら命を絶つ死への行動をとってしまうのです。最近では「死にたい」という人を自宅に集めて、実際に殺してしまったという事件も発生しています。こういった事件のなかには、まだ確実には死を決意してはおらず、迷っている人が含まれている場合もあるのです。この犯罪者は悪魔や悪霊に心（魂）を乗っ取られていたのでしょうか……。

また、例えば無差別大量殺人などを犯した人間が「殺せ、殺せ」という声がいつも耳元で聞こえたという自白をすることがありますが、神霊学的に考えると、これも霊の取り憑きとささやきによるもの。こうした人も霊媒体質、霊媒心質だと言えます。

天地創造「素の神」がつくられた大霊界は、上は天界神聖界から下は地獄界まで、魂の浄化と向上に応じていくつもの階層があり、それぞれ個別の世界が存在しています。その霊界の各階層のうち、一般の人たちが感知できるのはほとんどが霊格の低い低級霊なのです。つまり、霊界で修行を積み、霊格を上げて神界へとたどりついた高級神霊は、めったに現界に姿を現すことはなく、もっぱら人間界に関与してくるのは低級霊ということになります。

そのため霊媒体質の人は、こういった低級霊に憑依されると、身体に痛みや苦しみを感じたり、心の不安を抱えたりすることになるのです。しょっちゅう転んで怪我をする、想わぬ事故や事故に巻き込まれてしまう、学校や職場でよくいじめにあう、なぜ自分だけに災難が降りかかるのか、そう想い悩んでいる人も多いと思います。

ここで、典型的な霊媒体質の方の体験談をいくつか紹介しましょう。

## 『大霊界』の本と出合い救われた私自身

私は、若い頃から霊媒体質に悩まされていました。中学、高校時代は勉強も人間関係もうまくいかず、あちこちで喧嘩三昧。家でも家族と言い争ってばかりでした。

ちょうどその頃は、つねに霊の声が聞こえたり姿が見えたりしている時期でした。身体中が痛み、金縛りにあうこともしょっちゅう。とにかく心身ともに苦しみの最中にありました。誰にもわかってもらえないだろう、うまくいかないことに対する言い訳としか受け止められないだろう、という不安と絶望感にさいなまれ、家でも暴れまくることがよくありました。

そのようなとき私の母は、『大霊界』の本に必死に祈ったそうです。不思議なことに、その瞬間は私がおとなしくなるとのことで、母は私が暴れるたびに本に祈ることを繰り返していたそうです。

しかし私は今の状態がつづくといつかは家族を殺めてしまうかもしれないという心を持っていました。自分が恐ろしくなり、私は家を離れて一人暮らしをすることにしました。ところが、実家から遠く離れた地方で暮らしていても、霊による苦しみはなくならず、むしろ激しさを増していったのでした。友人と楽しく過ごしていても、突然心身が苦しくなり、不愉快な態度をとってしまう。最初は一緒に過ごしていた友人たちも、一人また一人と離れていき、私はひとりぼっちになってしまいました。

胃痛と吐き気でまともに食べられず、眠ろうとすると血みどろの地獄絵図が目の前に繰り広げられる。夜な夜な壁にうす暗い大きな穴がポッカリともひらき、地獄の亡者(もうじゃ)のうめき声がひびきわたったり、時には悪魔がその穴から出てきて、おそいかかり全身がんじがらめの金しばり……。

魔霊の猛攻(もうこう)は夜だけではなく日中も……。なに気に街をブラついているとき、突然胸が苦しくなり半ば呼吸が止まりかけ、気がついた時は道ばたで横になっていたり、時には信号待ちをしているときに、とつぜん頭が割れるように痛みだし、それはまるで頭の中に真っ赤に熱せられた鉄の棒をさしこまれ、グリグリとかきまわされているようなそんな耐えがたい痛みでした。そして夜は金縛りのせいで、睡眠をとること自体が恐怖になっていきました。もう死ぬことしか考えられなくなっていたとき、ふと入った書店で私は父の著書『大霊界』の本を目にしたのです。それらを買い家で読み進めると、自分が霊媒体質で、霊障が自分を苦しめていたのだということがはっきりとわかりました。

しかし原因がわかっても、苦しみは消えません。本当に死ぬしかないと心に決め、『大霊界』の本を抱いて「ごめんなさい、ごめんなさい」と謝りました。誰に対する謝罪というわけではなく、ただ言葉が口をついて出たのでした。

すると、私の胸の奥のほうから声が聞こえてきたのです。

「お前は霊の取り憑きに負け、このまま死んでもよいのかい？」

「なぜ、霊なんかに負けず、元気に力強く生きていくんだ！　と思うことができないんだい？」

「よいか、どのようなことがあっても、自分で自分の命を断つような『大罪』を犯してはいけない」

そう私の心に響いてきたのです。

その言葉を聞いたとたん、私の心にはそれまですっかり失われていた生きる希望と力が再び湧き上がってきたのです。

「今の声は、『大霊界』の本にあった『魂の親様』ではないか？　苦しさから逃れようと、死ぬことしか考えていなかった。霊なんかに負けてはいけない。心身を健康にして清々しい日々を送ってみせる！」

私はそのとき強く決意しました。ハッと気がつくと、胸に当てていた『大霊界』の本が燦然と光り輝いていました。

私は、本を無我夢中で読み返しているうちに「父のもとで能力者になりたい！」という気持ちになりました。日神会へ入門して以降、それまでわざわいを及ぼしていた霊障がすべて浄化、解消されたのがわかりました。その後、聖刹那神技を習得させていただき「霊なんかには絶対に負けない！　来るなら来い！　霊に負けてたまるか！」と心で強く決心し、食事をしっかりとる、運動もしっかり行うことを胸に刻み、「聖なる御魂親様」を心から信仰する日々を送ったのでした。

そして、生まれて初めて霊障による地獄の苦しみをわかってくださる方に出会えました。救ってくださる方に出会えたのです。その喜びに、私はその場で頭を垂れ、涙を流しながらお礼の言葉を述べたのでした。

今でも「『聖なる御魂親様』のお命、御心、英知、エネルギーと、生きる力、生きる希望を戴いたことに心より感謝しております。私が今日までに起こした心の過ち（悪想念、獣想念）、傲慢、高姿勢、プライドの三悪心、地獄の鬼、夜叉の心がアカシックレコード（宇宙記録）に記録されていることは私も重々承知しております。しかし、それらによって霊界入り後、自分の魂の親様に地獄の苦しみを味わわせることはできません。今は私のすべての悪想念を天界道神技と聖刹那神技で粉砕していただき、すべて解消していただくことが、霊界入りするその瞬間までの私の目標です」

こうして、私の魂の向上をめざす人生は今も続いているのです。

## 波瀾万丈の人生からたどり着いた日神会

次に、私がある会員の方から聞いた話を紹介いたしましょう。借金を抱えてにっちもさっちもいかなくなった中年男性が、四苦八苦の末に死の誘惑を乗り越え、家族共々今も必死に明るい心で生きているという話です。

その男性はふつうのサラリーマン家庭に生まれ育ったのですが、どこで間違ってしまったのか、せっかく入学した首都圏の大学もすぐに中退し、これといった職業に就くこともなく、あちらこちらでアルバイトをしながら生活し、なんとか生きているという状況でした。そして、あろうことか小さな中華料理店で働いているとき、いろいろな問題を起こしている悪い知り合いと付き合うようになってしまったのです。

そのうち彼らの誘いに乗り首都圏から地方都市へと流れていき、街をふらつくようになりました。そんな生活を送っていたあるとき、男性は連中といざこざを起こしてその街にもいられなくなり、逃げるようにして別の都市へ転居しました。そうして転々と、いわば流浪の旅を続けているうちに、やっと生まれ故郷である北陸の都市へ戻る決心をしたのでした。その都市で一念発起した男性は、ある会社の販売員として働くようになり、半年ほどのちに主任となったのをきっかけに両親の家に戻り、そこから仕事に通うようになりました。

そうこうしているうち部下の女性と付き合うようになり、やがて結婚。その女性はとても明るくて素直な性格で、同居することになった男性の両親にも可愛がられ、やがて一女をもうけ幸せな日々を送っていました。ところが、せっかく勤めていた会社が倒産し、男性はまたも職を失ってしまったのです。

「これはもう自分で事業を興すしかない」

そう考えた男性は、父親に相談して資金の援助を受け、自動車の修理工場を立ち上げました。そして五年、六年となんとか仕事も軌道に乗り、従業員も雇えるようになり、これでなんとか男として夫として父として、胸を張って生きていけるとほっとしていた矢先、知人の借金の保証人を引き受けていた男性は、計画倒産を図り夜逃げしたその知人の借金をそのまま背負ってしまうことになったのでした。

「だまされた！」

腹を立ててみても債権者は待ってくれません。銀行や信用金庫からはすでに事業の運転資金として借り入れた借金がありましたから、新たに借りることはできませんし、開業資金を出してくれた父親にこれ以上の迷惑はかけられません。かといって、自分をだました知人のように夜逃げするような卑怯なまねはしたくない。どうしたらいいのか。夜もまともに眠れないほど悩み苦しみ続けていた男性の前に現れたのが、昔付き合っていた悪い知り合いの一人だったのです。その知り合いの口車に乗ってしまった男性は、その仲間が取りしきる金融会社から多額の借金をしてしまいました。そこはいわゆる闇金融ですから法律が定める基準をはるかに上回る高利息を払わなくてはなりません。借金は返済しても返済しても逆に増えていく一方で、ついには両親と同居する家にまで取り立ての電話が掛かってくるようになり、父親は体をこわし、母親や妻はノイローゼになってしまいました。

「俺はなんという馬鹿なのだろう。なんというお人よしなのだろう」

進退きわまった男性は、いよいよ死神に取り憑かれてしまいました。

「生命保険金で借金を返せば、両親にも妻子にも迷惑をかけずにすむ」

毎日、毎晩、同じことを繰り返し考え続けた男性は、俺が死ねばいいんだ、俺が死ねばいいんだと、そればかりを考えるようになってしまったのです。

そんなある日、脳梗塞を起こして入院している父親を見舞いに行った病院で、思いがけず中学時代の友達に出会いました。とても優しい性格だった友達は男性を見つけたとたん懐かしそうに話しかけてきました。

その友達は複雑な家庭環境で育っていたこともあり、男性はなにかあればいつも彼をかばってあげていました。このとき友達はある難病に冒されていて、父が入院している病院へ通っていたのでした。話を聞いてみると、心臓に欠陥があるとのことで、医師からは「あまり長生きはできないでしょう」という厳しい宣告を受けていたのでした。

「俺は自分のことを不運な男だと思い続けてきたけれど、こいつは俺よりも辛い人生を送ってきたんだな。なんとかわいそうなやつだろう。それなのに、こんなに明るい顔をして俺を懐かしがってくれる」

男性はその友達の笑顔に逆に励まされているように感じたのです。

「死のうなどと考えるのは卑怯なことだ。現実から逃げることだ」

「ハッ」と自分の浅はかさに気づいた男性は、友達にそれまでの自分の人生や現在の状況などをすべて話して「おかげで助かったよ。おまえが一生懸命に生きようとしているのに、俺は死んだほうがいいなどと甘えたことを考えていたんだ。ありがとう」と友達に礼を言いました。すると友達は「そうか、辛いだろうなあ。貧乏な僕にはお金の援助はできないけど、いいことを教えてあげるよ」と言って、一冊の本を男性に手渡したのでした。その本の表紙には『魂の存在』というタイトルが書かれていました。

「魂の存在って」

「いいから読んでみなよ。この本のおかげで僕は死病も怖くなくなったんだから。僕たちの知らないことがたくさん書いてあるんだぞ」

その日の夜、友達が貸してくれた本のページをめくってみた男性は「ええっ！」と驚きました。そして、引き込まれるように読み続け、とうとう夜明かしをしてしまったのです。

数日後、教えてもらっていた住所から友達のアパートを探し出し、借りた本を返しに行った男性は、彼の部屋で他にも同じシリーズの本が並んでいるのを見つけました。そのなかに『恐怖の霊媒体質』という怖そうな一冊があったのです。友達は言いました。

「僕はこの本に書いてあるような霊媒体質ではないかと思うんだ。次々と不幸に見舞われるのもそのせいなんじゃないかってね」

「ふうん」

「それでさ、この隈本確先生の『大霊界』シリーズをみんな買って、ひと通り読み込んでみたんだよ。それでね、自分で神様のエネルギーを戴いて霊を寄せ付けない体になろうと努力しているんだ。健康管理とか、心の管理とか、とても大事なことが書いてあるんだよ。君もきっと救われると思うから読み続けてみなよ。僕が君のためにできることはこれくらいしかないんだ。読んでみてくれよ」

友達はそう言うと、それまでに買い揃えた本をまとめて男性に貸してくれたのでした。

ここまで述べれば皆様もおわかりでしょう。男性はその友達によって日神会と出会うことができたのです。そして、運に見捨てられたような自分も、友達の言うように霊媒体質なのではないかと思い、暗く落ち込む心をなんとか捨て去ろうと、本に書かれているとおりに神のエネルギーを戴く方法を試み始めました。そして、食欲がなくても頑張って食事をとり、頭を抱えて思い悩むことも極力止めるように努力し、毎朝、ジョギングをして体力を取り戻すことに専念しました。

その間も厳しい取り立ては続きましたが、男性はひたすら債権者に頭を下げ、できる限りの金額の月払いで、何年かかっても必ず返済することで了承してもらったのでした。

工場はとうに人手に渡っていましたから、男性はいろいろなアルバイトを探して働きました。妻も小さな娘を男性の母親に預けて一生懸命にスーパーのレジ係として働き始めました。それはもう並大抵の苦労ではなかったのです。それでも二人はひたすら仕事に励み、少しずつ、少しずつ借金を減らしていきました。

「それでね、先生。じつを申しますと、その人に『大霊界』シリーズの本をお貸しした友達というのは私の息子なんですよ。難病になった息子になんとか神様のお力を戴きたいと願い、日神会のお世話になるようになった私なのです。残念ながら息子は、お医者様のおっしゃったように五十歳を待たずに亡くなってしまいましたが、そのときも、その人は息子のために涙が枯れるほど泣いてくれて、息子が上界へ行けるよう神様にお祈りもしてくれました。そして残された私の面倒も親身になってみてくれたんです。いま私はその人を本当の息子のように思っているんです。

本当にその人は奥さんと二人、私が見ていても辛くなるほど一生懸命に頑張っていましたよ。それなのに、いまではその苦労などまったく感じさせないような明るい顔をして、高校生になった娘さんと奥さんと三人で、神様に祈りながら張り切って生きているんです。小さな子どもさんだったら『よくやったねえ』と頭をなでてあげたいくらいですよ。そしてね、先生、先日家を訪ねてきたときには、やっと少し余裕ができたから、おばさん、今度日神会に行くときは俺も一緒に連れていってくれないかなって言ってくれたんです。本当に嬉しかったですよ」

私にその男性の話をしてくれた会員の方は、そう言って涙ぐんでおられました。

自殺というのは、神から戴いた命を途中で投げ出してしまう行為です。修行の途中で大切なものを捨ててしまうわけですから、その人の魂は傷ついてしまいます。人間には日々いろいろな事情が生じますが、けっして命を粗末にしてはいけません。

ここまで、日神会や『大霊界』シリーズの本に出合うことによって霊媒体質を克服し、新たな人生を歩みはじめた方々の事例でしたが、次は日神会の護符に守っていただいたという会員の方の恐怖の体験談を紹介しましょう。

## 日神会の護符に助けられた女性

Gさんは、ある大型店の売り場で販売部員として働いていました。ある日、別の部署で働いている店員さんの心身の状態がなにかに取り憑かれたようにおかしくなったとのことで、しばらくは欠勤するだろうという噂が耳に入りました。Gさんはその人とは部署も違いますし、親しくはしていなかったので、ああ、そんなことが起こるのだなというような軽い気持ちで聞き流していたそうです。

ところが翌朝、Gさんがいつものように出勤して従業員入口から店内に入っていくと、当分のあいだ休むだろうと言われていたその人が目の前にいたのです。その人はやはり尋常ではない感じで、しかもあろうことか控室へ向かうGさんの後を付けてきました。なにかぞっとするような気がして振り返ろうとすると、その瞬間、「見るでない」という男の人の声が頭に響いたそうです。「それは、初代会長 隈本確先生の声だったと思います」とGさんは当時を振り返ります。「見るでない」ということは、つまり振り返ってその人を見てはいけないというお言葉です。

はっとしたGさんは、不安な想いを抱えて前を見て歩き続けたのですが、急いで歩くと、その人も早足になってずっとGさんの後を付けてきたそうです。背後からなんとも言い表しようのない強い殺気のようなものが襲ってくるのを感じて、Gさんは恐怖に駆られながら急いで控室へ飛び込みました。その人は控室までは入ってこなかったそうです。

控室のドアを閉めて一息ついたGさんは、制服に着替えたのち、まだ時刻が早いのでトイレに行って身支度を整えようと思い、女性トイレの個室に入りました。そうしたら、なんとGさんが入っている個室のドアの外で「うわあ、ぐわあ」という人間のものとも思えない大きな声がして、「殺してやる」というような恐ろしい気配を持つエネルギーがGさんの体を襲ってきたのです。「あの人だ。まだ付いてきていたのだ」と思うと、本当に身も凍るような恐ろしさでGさんはガタガタとふるえてしまったそうです。

そのうちに、その人が外から個室のドアをよじ登って上から見下ろしていることに気づき、さらに恐れを感じたGさんは、バッグのなかから財布を取り出してしっかりと握りしめ、「聖なる御魂親様〜、お助けください。お願いしま〜す」と心で祈ったのだそうです。いつも財布には「聖なる御魂親様」の護符を二、三枚は入れて持ち歩いていたのでした。

そうして必死に「聖なる御魂親様」にお祈りをすると同時に、母にも救いを求め、「お母さん、お母さん、助けて〜」と心で叫んだそうです。これはあとでわかったことですが、Gさんから話を聞いていたお母様も勤務先でのGさんのことが気になり、拳を胸に当てて「聖なる御魂親様、どうか娘を守ってやってください。お願いしま〜す」と祈っていたそうです。

母親ですからいつも娘のことを心配するのは当然なのでしょうが、そのときはGさんの身になにか起こっているのではないかという勘が働いたらしく、お母様も必死だったそうです。そして、話を照らし合わせてみると、なんとお母様が祈ってくれていたちょうどその頃、Gさんはトイレの個室のなかでふるえていたのだということがわかりました。まさに時刻が重なっていたのです。

話を戻しますと、上から見下ろしていたその人は、今度は個室のドアの上に手をかけたままドンドンと足でドアを蹴り始めたそうです。もうどうにもなりません。いよいよなにかに取り憑かれて殺されるのではないかという恐怖に捕らわれ、Gさんは必死に「助けて！」と叫ぼうとしたのですが、あまりの恐ろしさに口もきけませんでした。

「なにしているの！」という声が聞こえたのはそのときでした。それはGさんの部署の先輩の声でした。開店の時刻が過ぎてもGさんが職場に行かないので、ひょっとしてトイレだろうかと心配して探しに来てくれたのでした。ドアの上から私をにらんでいたその人は、先輩の声に反応して床に下りた様子で、ドアの外から人がもみ合うような音が聞こえてきたそうです。今度はその先輩のことが気になったそうですが、怖くてドアを開けることができません。結局はガードマンの方が気づき、その人を取り押さえてくれたのですが、Gさんを救おうとした先輩は足を骨折し、大怪我をしてしまったそうで、Gさんは先輩に対して申し訳なく思い、後日お見舞いに行ってお礼を述べたそうです。

そして、この一件がどうにか治まったのち、控室に戻ったGさんが心を鎮めて握りしめていた財布を開けてみると、「聖なる御魂親様」の護符がまるで焼け焦げたように真っ黒になっていたのです。

実はGさんからこの体験を記したお手紙とともに、護符が入っていた財布を送っていただき拝見させていただいたのですが、Gさんのご報告のとおり護符を入れていた財布のなかも真っ黒の状態でした。それでさっそく「聖なる御魂親様」のお力を戴き、浄化させていただきました。

この体験談は、Gさんが悪魔に心を乗っ取られた人から被害を受けた事例でしたが、この事件を通して、あらためて「聖なる御魂親様」のお力の偉大さ、命がけで祈ることの大切さを実感したのでした。

## 傲慢、高姿勢の心がつくった邪悪な霊体

傲慢、高姿勢、プライドの心がその人の心のなかに邪悪なエネルギー霊体を宿した結果、さまざまな問題が起きる場合もあります。これは、私の友人が経営する会社に勤務するHさんの話です。

ある日、その友人から頼まれた物を届けるために会社を訪れたときの出来事です。

「社長をすぐお呼びしますので、しばらくこちらでお待ちください」と若い女性職員の方に社長室に案内されました。五分ほど経って「待たせて悪かった」と言って友人が入ってきたのですが、どこか元気がない表情を見て、私はとっさになにかあったのだなと理解しました。

「どうしたの?」ときくと、「うん、どうしたらいいのかわからないことがあって……」

友人はそう言って私に打ち明けてくれました。

それは友人の会社で働く女性職員Hさんのことでした。三十年近く働いているHさんは会社で一番のベテラン社員でした。彼女はどんな仕事でも長年の経験でテキパキとこなすのですが、普段からまわりの人に対して上から押さえつけてしまうような冷たい言葉や態度をとってしまうので一緒に働く職員が萎縮してしまい、そのなかには会社を去ってしまった人もいたとのことでした。

友人のお父さんである先代の社長はもちろん、彼自身もHさんの冷たい言葉づかいや態度に気づくと、そのたびに厳しく注意をしていたそうです。注意をしたときは「すみません、必ず直します」と反省の言葉を述べてお詫びをするのだそうですが、部屋を出て仕事に戻るとそのことを忘れてしまい、またまわりの職員に強く押さえるような言動や態度をとるのだそうです。

仕事に間違いがあってはいけない、遅れてはいけないと注意を払って一生懸命に仕事に打ち込むことはいいことです。しかし、Hさん自身が失敗することももちろんあって、そのたびに上司や社長から許してもらっているにもかかわらず、他の職員が失敗することがあってはならない、許せない！　という気持ちが表に出てしまい、強い口調で厳しく職員たちを注意してしまい落ち込ませてしまうのだそうです。

自分が特別な仕事を任せてもらえたときはうれしくてご機嫌なのに、他の人が同じ仕事を任せられると途端にいやな目つきになってしまい、この人にこの仕事はまだ早い！　させたくない！　という想いがとっさに湧き出てしまうのだろう。というのが友人の見解でした。

つい先程も私が会社に到着する前に、社長である友人にも強い口調で苦言を言ってくるので、社長の自分にまで威圧的な態度をとるのだから、他の職員にはなおさらだろうなと思ったとのことでした。今度こそ変わるだろうと信じて許しても何度も同じことを繰り返してしまう……。どうしたらいいのだろうと友人は悩んでいたのでした。

私が宗教家であることを友人はもちろん知っていて、何十年もの付き合いのなかで岐路に立たされたときはよく相談をしてくれて、私のアドバイスをいつも真摯に聞き入れてくれていました。そんな彼は職員全員がお互いに手を取り助け合い、真心のこもった愛があふれる職場をつくり、さらに会社を発展させたいと頑張っていました。そんななか、仕事はできるのだけれど協調性に欠けるHさんのことが悩みの種だったのです。

そのとき社長室のドアが開き、「失礼します」と五十歳くらいの女性がお茶を持ってきてくれました。

うつむきかげんで社長の顔色を伺うような遠慮がちなしぐさ……。友人の表情からこの女性がHさんだとすぐにわかりました。

友人はHさんに空いているソファを指さして「○○さん、ちょっとそこに座って。今ちょうどあなたのことを相談していたのだよ」と促しました。

友人はソファに座ったHさんに向かって、皆に優しくして後輩たちを温かく指導してくれないかと訴えていました。Hさんは「はい」と素直に返事をして、とても反省している様子でした。

しばらく二人のやりとりを聞いていた私は、ふと違和感をおぼえたのですぐに入神状態に入りました。わずかに残した意識で二人の会話を聞きながら心の目をHさんへと向けました。すると、私の目の前に真っ黒いエネルギー霊体が現れたのです。そしてそれは人型になり、怒濤の如く私に戦いを挑むような勢いで言ったのです。

「誰じゃ！　邪魔するな！」

すぐさま私が「そなたは何者だ！　すぐにこの者より立ち去れ！」と暗黒エネルギー霊体に問うと、「オレはこの凡夫そのものだ！　邪魔するな！　オレは心地よくしていたのに。オレの居場所はここだ！　なにがあろうともこの者からは決して離れるものか！」

よく調べてみると、その霊体はHさんに取り憑いた低級霊体ではなく、Hさんの心がつくり上げた暗黒霊体だったのです。長年、傲慢、高姿勢の心を持ち続けていたことにより、自分の心が発する悪の心のエネルギーが集結し、邪悪なエネルギー体として命を宿していたのです。

Hさんの傲慢、高姿勢の心がつくりあげたその霊体は、時にHさんの先に起こりうることを予測して耳元でささやくように伝えていたのです。とくに霊感があるわけではないHさんはふと湧き上がる想いに突き動かされ、忘れ物を事前に気づいてよかった、気になったので来てみたら間違えを発見したなど、自分は勘がさえているとかってに思い込んでいたようです。

「勘働きがあるから自分は知恵者である……」

まわりの人たちを小馬鹿にする心は、さらに自分が作り上げた邪悪な魂を育て、Hさんの心（精神）をどんどん支配していたのです。

反省しているような言葉や態度を見せても、心の底から申し訳なかったという想いが湧いてくることはなく、また何度も同じ尊大傲慢な心を繰り返すのです。許してもらったとしても感謝の想いもすぐに忘れてしまいます。寛大な心で自分を信じてくれる社長や上司、一緒に働く人たちを心から信じることができないでいたようです。

Hさんが素直に百パーセント心を開いて信じることができるのは、占いや霊感がある人が透視などで教えてくれた先祖の霊の言葉など目に見えない存在だったようです。そのため勘働きでひらめいたことに心酔し、心が奪われるほど支配されていたのでした。

愚かな勘働きは、人間が発生させた悪魔を心（精神）に宿し、育成させたもの。その魂の邪悪なエネルギーはまわりの職員にも伝わるため、次第にまわりから忌み嫌われることになってしまったのでした。

すべてを理解した私は、この邪悪な悪魔の心を神の力で封じ込めたあと、入神状態を解き、意識体を元に戻したのです。霊との対話は神霊速で瞬時に行われるので、わずか一、二分の出来事でした。

日神会の御守護神「聖なる御魂親様」の神のお力でHさんに取り憑いている霊体を外すことは容易にできることです。しかしHさんの心のエネルギーで一つの意識体として育成してしまった魂（暗黒霊体）は、いくら私が浄霊を行ってもHさんが傲慢、高姿勢の心を変えない限り、また邪悪な暗黒霊体を引き寄せてしまう、もしくはまた悪魔のような暗黒霊体をつくりあげてしまうことになるでしょう。あくまでも自分自身が現実を理解し、「この心はいけない！」「この心を出さない！」という強い決意が必要なのです。しかし、いきなり現実を伝えるには衝撃が大きすぎるため、どのように伝えたらよいものかとしばらく思案しておりました。すると友人が「〇〇さんになにか教えてあげてくれないだろうか」と言うので、心の持ち方次第で自分の人生が大きく変わることをお伝えしたのです。

Hさんは、社長である友人から注意をされたばかりでもあり、素直に私の話を聞いてくれました。

そして、これまでの家族や周囲の人々への想いを振り返りながら、自分でもどうしてこんなに人に対して冷たいのだろうと思うことがあると教えてくれました。

変わりたいと思う気持ちをはずかしがらず素直に持ち続けること。いつも鏡で自分の顔を見ることを習慣にすること。険しい顔をせずに笑顔を心がけ、さまざまな感情が湧いてきたら大きく深呼吸を行い心を落ち着かせる習慣を身につけることなどを伝えました。

Hさんは「はい、頑張ります。ありがとうございました」と明るく優しい笑顔で深々と頭を下げ、部屋を出て行かれました。

その様子を見ていた友人は「今日来てくれて本当にありがとう。長年働いてくれている職員はうちの宝だからね。その経験をもとに後輩たちを育ててくれる存在になってくれると本物の宝になるよ。今度こそ変わってくれることを祈るよ」と安堵の表情で話してくれました。

## 人間がつくり出した悪魔の正体

いかがですか、Ｈさんのように人間がつくりあげた悪魔を魂に宿し、そこで育成した邪悪なエネルギーに支配されている人は決して珍しいわけではありません。すべての人が神の子であるならば、その最終目的地は神の国、すなわち天界神聖界であるはずなのに、家庭環境や成長段階での人間関係、社会に出てからの職場の人や出会った異性との関係で心が傷つき落ち込む、そのことによって人間不信となり、自分の心を汚し、動物の心、悪魔の心に支配される人も多くいます。しかも残念なことに、その数は時代が進めば進むほど増え続けているようです。

悪想念ばかり抱いて生活をしていると、下級霊界としか波長が合わなくなる。だから悪霊が忍び寄ってくる。悪霊が忍び寄ってくるから苦しむ。そこに下級霊界で苦しんでいる低級霊がどんどん入ってくる。そして自分のなかで育成した悪魔が、その悪のエネルギー（傲慢・高姿勢・プライド）を吸収してさらに力を付け、生霊となって他人に取り憑いていく。

これがまさに悪魔が生成されるメカニズムなのです。

ここで付け加えますが、前章（Ｐａｒｔ２）で述べた加念障害についても、人間の心に宿した悪魔が関与している場合もあり、さらに自分の心を悪魔に売ってしまった人は霊媒体質になりやすいことも見逃してはいけません。

人間は死を迎えると、魂が肉体の衣を脱ぎ捨てて霊界へ旅立っていきます。霊界には段階があるのですが、それについては私の著書『天界道シリーズ③「神の道」』に示していますので、ここでは簡単に紹介しましょう。

まず「幽界」に入った魂のなかで向上しようとする魂は、「薄青の座」「薄紅の座」とだんだん上に昇っていき、「透輝の壁」を超えて「天界神聖界」へとたどりつきます。一方、下方霊界へと向かう魂は、延々と続く地獄の道を通って地獄界へと落ちていきます。

それぞれの段階はさらに細かく分かれているのですが、魂の行き着く先は、故人の生前の品格にほぼ比例すると言われています。つまり悪魔の心に支配された人たちの魂は、霊界入後、悪想念にまみれたまま地獄界へ落ちていきます。地獄界は魂の向上のための修行の場所なのですが、それでも向上をめざすことなく、悪のエネルギーを吸収し続けた低級霊は、さらに強力な悪魔に成長して現界へと関与してくるのです。

なんと恐ろしい悪の循環でしょうか。

人類の歴史は、戦争の歴史といっても過言ではありません。人間は古代から領土や資源などを求めて争い合い、そのたびに多くの犠牲を払ってきました。しかしその教訓は生かされることなく、今も戦争は続いています。

戦地に送り出される兵士たちのなかには、真剣に「正義のため」と想っている人もいることでしょう。しかし、それは戦争当事者である国家権力者の真の思惑とは異なっているのではないかと思います。

かつて心ある研究者たちは、世のため人のために、命を削るような想いをして新たな技術やシステムを開発してきました。しかし、それらはいつのまにか悪用され、多くの人々を殺りくする兵器として戦争で使用されてきました。その最たるものが核兵器でしょう。一瞬にして人々の命を奪い、地球そのものを破壊してしまうこの核兵器を今もちらつかせながら威嚇(いかく)し続ける国もあります。

ここではっきりと申し上げましょう。

戦争の原因は、人間のなかに潜む悪魔の知恵から発した欲です。核兵器もまた悪魔の知恵がつくり出した産物なのです。

軍事クーデターによって内紛がぼっ発した国では、多くの民間人が危機にさらされ、難民となり近隣諸国への避難を強いられています。宗教や民族間の紛争も止まることを知りません。さらに地球温暖化、海洋汚染、大気汚染、森林破壊といった地球環境問題は待ったなしの危機的な状況にあります。

ニュースなどでも報じられているように、殺人や強盗などの凶悪な犯罪は後を絶たず、多様化する詐欺事件はもはや日常的な問題となっています。そして学校や職場でのいじめ、パワーハラスメントやセクシャルハラスメント、さらに匿名での投稿が可能な交流サイト（ＳＮＳ）での個人への誹謗中傷など……。

社会システムや人々の価値観の変化などから生じたこれらの問題は、さらに深刻化し、多くの人々に大きな危害をもたらしているのです。

これは紛れもなく、人類が誕生して以来、人間が傲慢、高姿勢、プライドの心を放射し続けた結果、生み出された悪魔の仕業であると言えます。

人間界から地獄界に落ちた魂は人間世界のことを知っているので、霊的通信で対話をすることはできるのですが、地獄界で暗黒エネルギーを集結し育成された悪魔は、人間界のことをまったく知らないために人の想いが通じることはありません。ですから情けも慈悲もなく、それこそ容赦なく人間に取り憑いてくるのです。

昨日まで元気だった人が突然亡くなってしまったという話を聞いたことがある方もいらっしゃると思いますが、その原因が悪魔の憑依による場合もあるのです。

悪魔の存在……。

それは、私が日々の儀式のなかで確信したまぎれもない真実なのです。

私たちはこの悪魔の脅威から身を守るために、自らのなかにある傲慢、高姿勢、プライドの心に立ち向かっていかなければなりません。そして神のお力を戴くことの大切さをしっかりと心に刻んでいかなければならないのです。

## PART 4 マンガまとめ 霊媒体質と悪魔の存在

つねに霊の声が
聞こえたり

霊の姿が
見えたり

実家から離れ、一人暮らしを
していた頃は夜な夜な壁に
ポッカリとあいた穴から悪魔が
はいだしてきて襲いかかり
金しばりになりました

昼夜にわたる悪魔の
猛攻に耐えられず
もう死ぬことしか
考えられなかった時
フラ

書店
!

ふと入った書店で
私は父の著書
「大霊界」を手に
したのです
大霊界
そしてその本を読んで、自分が
霊媒体質で霊障に
苦しめられていたことが
ハッキリわかりました
お前はなぜ「霊なんかに
負けず力強く生きるんだ！」
と思うことができないんだ？
よいか、どのようなことが
あっても自分で自分の命を
絶つような「大罪」を
犯してはいけないぞ！
ハッ
今の声は『大霊界』
に書かれていた
「魂の親様」ではないか
霊なんかに負けないぞ
来るなら来い、霊に
負けてたまるもんか
聖
そして私は日神会に
すぐに入門して救われた
のです

ある方は苦労の末
小さな車の修理工場
を経営していました

知人に保証人を
頼まれしかたなく
助けてくれ！
この通り

ニヤ

後日、知人は金を
持って逃げ、その方は
莫大な借金の返済
に追われ続け
もう死ぬ
しかない……

そう思っていた
時、友人から
一冊の本を
手渡された
魂の存在

お母さん助けてぇ
大型店の販売部員のGさんは悪魔に心を乗っとられた女性に襲われましたが日神会の護符に守られました
「聖なる御魂親様」お助けください
そして自分自身の悪のエネルギーがつくりあげた暗黒霊体に支配されたHさんなど、令媒体質のお話はいかがでしたか
神さまのおかげで皆さん最後は救われたんですね
霊媒体質ってホントにあるんだねぇ くわばらくわばら
聖

Hさんのように人間がつくりあげた霊の邪悪なエネルギーに支配されている人は決して珍らしいわけではありませんよ
残念ながら近年は家庭環境や成長段階での人間関係で心が傷つき「動物の心」「悪魔の心」に支配される人が増え続けています

悪想念ばかり抱いていると下級霊と波調が合い悪霊が忍び寄ってくるから苦しむ

低級霊に取り憑かれた自分の心の中で育てた悪魔が生霊となって他人に取り憑いていく

これがまさに悪魔が生成されるメカニズムなのです！

戦争の原因は人間の心に潜む悪魔の欲
ザッ
ザッ
ザッ
核は悪魔の
造った兵器

# *Part 5*

# 神のエネルギーを戴いて生きる

# 「三悪の心」とは

前章（Ｐａｒｔ４）では、私たち人間に憑依するのは、現界から地獄魔界へ落ちた低級霊だけではなく、人間の悪想念エネルギーが生み出した悪魔が存在しているということを述べました。

もう少し補足すると、この世に人類が誕生して以来、人間が発してきた何億、何十億というマイナス想念の固まりが悪魔となり、現界にいる人間に取り憑いてきているのです。つまり、私たちの先祖がつくった悪魔が、現世にいる私たち子孫に戻ってきて、さまざまな害を与えているともいえるのです。

ここ百年ほどのあいだ、文明があまりにも急激に進んだことから、人間が人としての心、神の心を忘れ私利私欲に走り、その傲慢、高姿勢、プライドの心のエネルギーが、本来なら存在しなくてもよかったはずの悪魔をつくりだしたのです。果たして私たち現代人は、軌道を修正して神の道に戻ることができるのでしょうか。あるいは悪魔の道をひたすら突っ走っていくのでしょうか。それは現世で暮らす私たち人間の心の選択にかかっているともいえます。

さて、悪魔が一番喜ぶのは、傲慢、高姿勢、プライドの「三悪の心」です。逆にいうと、神がもっとも嫌われる、忌避されるのがこの「三悪の心」を持った生き方です。

それでは、具体的にどのような生き方なのでしょうか。

## 傲慢な態度

他人より少しばかり優れたところがあると、愚かな人間はすぐに思い上がります。これは神がもっとも嫌われる態度です。自分は思い上がっていないか、うぬぼれていないか、自分を過信していないか、他者を見下していないか、絶えず自分の心を見つめ、気がついたら反省することが必要です。

## 高姿勢な態度

傲慢と同質の悪しき態度で、妻や子どもなど家族、後輩、部下などを脅したり叱りつけたりして威圧のエネルギーで服従させようとします。「人間には上下はない」とあらためて心に刻むとともに、人間の上にあるのは神のみであることを知るべきでしょう。

## 尊大な態度

思い上がって偉そうに構える尊大な態度も神が嫌われる心の姿勢です。本来人間には身分による上下関係、すなわち財力や学歴、肩書きによる上下関係はありません。そもそも偉いというのは他人が評価するものであって、自分で自分を偉いと考えるなど滑稽以外のなにものでもありません。

## 悪想念にまみれた生き方

動物の心、悪魔の心を持った人間には、つねにいろいろな悪想念が浮かんでくるでしょう。人を陥れようとするたくらみ、殺意、犯罪への誘惑、人を憎む心、呪う心、ねたむ心、人の不幸を喜ぶ心など、悪しき想いは即座に聖刹那神技（強制浄霊法）で払いのけましょう。

## いやがらせやいじめの行為

特定の人間に対して嫌悪したり、阻害したり、憎悪の心を持ったりすることは、神の御心に遠い心境です。まして他人の肉体や心に傷を負わせて苦痛を与えるようなことは論外であり、神のもっとも嫌われる光景です。

愛なき劣情

異性を求める行為は、動物の本能を持つ人間がつねに直面する欲望です。魂が肉体の衣を着ている私たち人間は、自らが生存し、また子孫をのこすために食欲や性欲を捨てることはできません。これを神は広い御心でお許しになっておられます。しかし、美食や飽食などを慎むこと、節度のある性愛こそが神を奉じる者にはふさわしいのではないかと思います。

## 神の御心にかなう生き方

いかがでしょうか。「いくつかは思い当たる」という方もいらっしゃるかもしれませんね。無理もありません。私たち人間は、神の心とともに動物の心、悪魔の心を持ってこの世に生を受け存在しているのですから、時には悪想念、悪のエネルギーを相手の方にぶつけてしまっていることもあるでしょう。しかし、これはしかたないことです。大切なことは、悪想念が出たあとの心の管理です。

「今日は友人の〇〇さんにひどいことを言って傷つけてしまいました。すみません。〇〇さんにはしっかりと謝ります。これからはこんなことがないよう想念を管理していきます」

「昨日は仕事のミスを後輩のせいにして上司に嘘をついてしまいました。今ではとても後悔しています。どんな処分になるかわかりませんが、上司と後輩に謝ります。申し訳ありませんでした」

このように、胸にいらっしゃる魂の親様にしっかりと謝って反省をすることが大切です。

先祖代々私たち人間が傲慢、高姿勢、プライドの心で生み出した悪のエネルギーの結集体「悪魔」。その悪魔の取り憑きから心身を守るためには、まずあなたが悪魔と波長を合わせないこと。そして神に愛される心、想念を持ちつづけ、神の御心にかなう生き方を送ることが必要です。

それでは神に愛される想念、態度、生き方とはどんなものなのでしょうか。

日神会では「謙虚、礼節、敬い」の心を「三善の心」、「愛し、慈しみ、尊ぶ」心のあり方を「三愛の心」と呼んでいます。そして会員の皆様には、これを指針としてまっ白くキラーッと光る「聖の文字」すなわち「聖なる御魂親様」を胸に戴いて日々の祈りの生活を送ることの大切さをお伝えしています。

神の御心にかなう心を持ち続けたい、すなわち自らの魂を神に愛される存在にまで高めたいという願いは、「言うは易し行うは難し」で、一朝一夕で叶うわけではありません。

しかし魂というのは、神に通じ、いずれは神の子として天地創造「素の神」の御許で、自らも神となる可能性を持った尊い存在なのです。あなたは、神から魂を与えられた人間として、将来、霊界に入ったときに高き神霊となるためにも、現世にあるうちにしっかりとした自覚を持って自らを成長させていかなければなりません。それこそ神が、私たち人間に課した厳しい修行ともいえるのです。そして神は、あなたに対して生あるうちに美しく清らかな心を育て、魂のみの存在となった暁には、一直線に神の御許に昇ってくるようにと心待ちにされているのです。

では神の御心とはどんなものなのでしょうか。それは「愛」そのものです。だからこそ私たち人間は、神の子として恥じないように、「謙虚、礼節、敬い、愛し、慈しみ、尊ぶ」という「三善三愛」の心を育んでいかなくてはならないのです。

それでは「愛する」「慈しむ」「尊ぶ」三愛の心とは、どういう心の働きなのでしょうか、ここであらためて考えてみましょう。

それぞれの言葉を辞書などから引用して簡単にまとめてみますと、「愛する」とは、相手を大切に想うこと、相手を慈しむこと、相手のために良かれと願うことであり、「慈しむ」とは、相手を可愛がって大事にすることであり、「尊ぶ」とは、敬って大切にすること、あがめること、尊ぶこととなります。こうしてみると「三愛」の心をまとめてみれば、やはりすべてが「愛」に集約されているのです。

## 人様ファーストの心

前章（Ｐａｒｔ2）で紹介したEさんという女性のことを、読者の皆様は覚えておられるでしょう。Eさんはアルツハイマーのご主人のことで悩み苦しんでいて、神と同様の愛の心を持ちたいと願っていましたね。私はEさんに「それは無理ですよ。あなたは神ではありません」ときつい言葉を発しました。肉体と頭脳と心（魂）を併せ持つ現世の人間であれば、ときに悪想念が心に湧いてきますから、神とまったく同じような限りない愛の心をつねに相手に注ぐなどということは、まず不可能であると言ってもいいでしょう。

Eさんは毎朝晩、ご主人の病気が進行しないようにと、そして神のお命と、エネルギー、英知、御心を、ご主人とご自身に与えてくださいと一心に祈っていると言っていました。それでいいのですと私は言いましたね。神の御心は「愛」そのものなのです。ですから「御心を私にください」と一生懸命に祈りを捧げれば、神はきっとご自身の深い愛の御心を凡夫にも与えてくださるのです。

しかし、せっかく神の愛の御心を戴いても、肉体を持つ人間というのは悲しいもので、どうしても心に雑念や悪念が湧いてきて、Eさんのように悩み苦しむことになります。だからこそ、つねに自分の心を見つめ反省し、悪心が芽生えていると感じたときには、すぐに神の愛のエネルギーを戴く祈りを行うことが大切です。なによりも「愛」の心を大切に育んでいくことが、神の子である私たちにとって大事なことなのです。

また、愛とは端的にいえば人様を大切に想うということですから、身勝手な言動を慎み、相手のためを第一に考えるという姿勢を保つ努力を怠らないような生き方を目指すべきでしょう。

私はかつて日神会の職員の皆さんに「人様ファースト」という話をしたことがあります。「都民ファースト」という言葉はある東京都知事が使ったものですが、それをもじって「人様ファースト」と言ったわけです。つまり自分のことよりも、まず人様のことを第一に考えて行動するということですね。そうした態度が正しいことだとわかっていても、残念ながらほとんどの人は、神の心ではなく動物や悪魔の心に動かされて、つい自分本位な「自分ファースト」で物事を考えてしまいがちです。

しかし、それでは「愛の心」からは程遠い心の持ち主になってしまいます。人を大切にしない愛さない「自分ファースト」の動物や悪魔の心を波動のエネルギーとして周囲に発散させていては、人様に嫌われるばかりでなく、自分自身の魂にも嫌われ、神の御心にも反することになるでしょう。

次に紹介するのは、私自身がこの目、この耳で見聞きした「人様ファースト」を実行している人たちの話です。

東京聖地に滞在していたある日、私は昼食をとろうとして近くのレストランに入りました。一人でしたからカウンターに座っていたのですが、ふと気がつくと、私の後ろのほうのテーブルで、サラリーマンらしき四人の男性が談笑しながら食事を楽しんでいました。そのとき入り口のドアが開いて、車椅子に乗った方を連れた新しいお客様が入ってきました。

「車椅子ですがよろしいでしょうか」と尋ねたお客様に、ウエイトレスさんが「はい、もちろん結構ですよ。どうぞお入りください」と答えた瞬間、その四人の男性がいっせいにさっと立ち上がったのです。そして「どうぞ、よかったらこの席にお座りになったらどうですか。ここのほうが入り口に近いですから楽でしょう」と車椅子の方に声をかけたのです。そして、「私たちは奥のほうの席へ移りますから。ウエイトレスさん、かまわないですよね」と言って男性たちはさっと別の席へ移っていったのです。

私はその様子にとても感動し、日本もまだまだ捨てたものではないなと、嬉しくて心が弾む想いをしました。

人様を大事にする心。人様に良かれと思う心。これこそ「愛」ではないでしょうか。誰が指示したのでもなく、とにかく四人そろってとっさに席を譲った男性の方たち。その男性たちは、普段からそうした心を持ちながら生活しているのだろうと私は思いました。仕事をするに当たっても、まわりの人たちを思いやる心で取り組んでいるのだろうと察しました。

ああ、いいなあ。これが日本の心なんだな。「おもてなし」とよくいわれるけれど、人様のことをまず想うというのはなんと素晴らしい心のあり方でしょう。

昔はよくボランティア精神で近所の方の世話をする人がいたものですが、最近ではなかなかそうした光景は見られなくなっています。電車やバスに乗れば他の人をかき分けて我先に空いている席に座ろうとし、周囲の人の迷惑も顧みず声高に話し合ったり、目の前に立っている人がいるにもかかわらず荷物を隣の一人分の席に置いて知らん顔をしていたり、わがままを言って騒ぐ自分の子どもを叱ろうともせず、放っておいて仲間とのおしゃべりに夢中になっていたり……。

最近、車ではなく自転車の暴走による事故も多々発生しているようですが、これも人様のことを考えず自分の世界だけに熱中する自分本位の心の表れでしょう。携帯電話を使用しながら車や自転車を走らせるなど、もってのほかというべきでしょうね。

電車のなかでスマホをしきりに操作したり、平気で携帯の電源を入れたままにしたりというのは、とくに悪いこととして責めるつもりはありませんが、やはり人様の迷惑になることに違いはありません。若い人ばかりではなく、けっこう年齢を重ねた人たちまでがそうした行為を平気でしているのを見ると、なんとも情けなく、人の心はどうなってしまったのだろうと気が重くなる私です。ですから、いま述べた男性たちのような素晴らしい心の持ち主に出会うと、ほっと救われた気持ちになるのです。

私が職員の皆さんにこの話をしたのは、宗教に携わる私たちはとくに一般の人以上にまわりの人を大切にし、いつも人のために尽くす、人様の役に立つということを心がけてほしかったからです。読者の皆様もこの温かい愛の心を大事に育み、人様を愛し、そして人様に愛される人格を形成していっていただきたいと思います。なぜなら「人様ファースト」の心こそが神の御心にかなう心のあり方であり、そうした心こそが皆様の胸の精神世界に内在する「魂」の向上を促すことになるからです。

何度も繰り返しますが、人間には神の心と動物の心、悪魔の心という三つの心が与えられています。その三つの心が揺れ動くなかで、どうしたら神の心をつねに発動させることができるのか……。

そのためには、神の御心を戴く祈りを忘れずに実行していくしかありません。神のエネルギーは愛に満ち満ちています。神の御心は愛そのものなのです。神の道を歩むということは、自らのなかに人様を大事にする心、人様の役に立ちたいという心、すなわち人様を愛する心を大事にしようと努力することなのです。

神のエネルギーは愛に満ちている……。

皆様には、このことをしっかりと胸に刻んでいただきたいと思います。

## 神に愛される人間の道

これまで愛の心の大切さについて述べてきましたが、「神の存在すなわち愛」ということになりますと、その神に愛されながらの生活をおくるためには、自らの心にも愛を育むことが大切になります。愛の心こそが神と波長の合う素晴らしい宝物なのです。

仏教では「愛」ではなく「慈悲」という言葉を使います。「御仏のお慈悲」ということですね。皆様は有名な寺院などで弥勒菩薩や釈迦如来といった仏像を見学したことがありますか。きっと少なからず一度や二度はご覧になっているのではないかと思います。その仏像のお顔のほとんどは、穏やかな微笑をたたえているでしょう。

微笑み、笑顔……。

人間の表情のなかで笑顔ほど美しいものはありません。人の笑顔を見て不愉快になる人はいないでしょう。むしろ人の笑顔に接すると、こちらにも笑顔が浮かんでくるはずです。逆にどこか暗くて寂しそうな表情の人と接すると、こちらの気持ちもなぜか落ち込んでくるのではないでしょうか。

最近、私は来会された会員の方に「あなたの笑顔はいいですねえ。赤ちゃんみたいですね」とよく言っています。なぜかと言えば、赤ちゃんの笑顔を思い出してみてください。なにも考えないでニコニコ、ニコニコしていますね。生まれてきたことを喜んでいるようにニコニコしています。きっと嬉しいのでしょう。そういう悪意のない純粋な笑顔が大切なのです。その笑顔がまわりの人を豊かな温かい気持ちに誘い、その場に平和で幸せな雰囲気をもたらすのです。赤ちゃんのように汚れのない笑顔、それがすなわち神に愛される笑顔だと言えるでしょう。

目指せ、『赤ちゃん！』

これをひとつの目標として、皆様もつねに汚れのない純粋な笑みの心を持ち続けるよう努力なさったらいかがでしょうか。

なかには、寂しがり屋の性格で笑顔が苦手だという方もいるかもしれません。そういう方にとくにお勧めしたいことは、どうも心が沈んでいるなと感じたら、すぐに鏡で自分の表情を見てみることです。

ああ、暗い顔になっている……。ああ、冷たい表情をしている……。

そう感じたら、まずは表面的にでもかまいませんから鏡に向かって笑ってみるのです。きっと良い表情になるはずです。美男美女になっているはずです。そうしたら今度は鏡のなかの自分に微笑みかけてみてください。そして無言で「心に笑みを……、心に笑みをもとーう、心に笑みを」と五回、六回と言いきかせてみてくださ い。きっと心が明るくなっていくことに気がつくでしょう。すぐに落ち込んだり、沈み込んだりしてしまう方は、このように鏡を見ることを実行していただきたいと思います。

皆様にこんなことをお話ししている私ですが、じつを申しますと私はかつてはマイナス想念の塊だったのです。自分の心を一〇〇、としたら、九九・九九パーセントが「陰」で、残りの〇・〇一パーセントが「陽」だったのです。なにかあるとふさぎ込んで、すぐにマイナスの想念が出てしまう。そのことは自覚していたのですが、なかなか「陰」の心を吹っ切ることができずに悩んだこともありました。

さらにここで白状してしまいますと、私は運動音痴でもありました。走ることは苦手、野球やバレーボール、バスケットボール、サッカー、みんな苦手でした。サッカーでボールを蹴っても変なところにしか飛んでいかなかったり、バレーボールでも、ボールが飛んできたら手で受けると痛いので頭でガンと受けてしまったり……。

なんとか自分を変えなくてはいけない。

それで日神会に奉職するようになってから、私は先輩の皆さんと一緒に空手の訓練に取り組みました。当時、日神会では職員がみんなで空手の修練をしていました。日神会の空手は「神想流」と言って、神を想う心を強く育てるための修練だったのです。

皆様もご自分の欠点を直していきたいと思ったら、まず心に強く「やる！」と決めることが大切です。必ず変わってみせる！　と心で決めたら、その心が働いて体を動かしてくれます。何事においても、自分にはできないと思い込んでいたら、いつまで経っても改善、向上することはできません。まず一歩を踏み出すことが大事です。

先に「赤ちゃんの笑顔」が大事だと述べましたが、純粋な笑顔を保つ努力を重ねることで、自然に心は愛に満ちてくるはずです。愛の心すなわち神の御心。つまりは笑顔を忘れないことで、神に愛される愛の心の持ち主になれるのです。

それに加えて、これも先に述べたように、なにかにつけて自分の心を見つめ直し「謙虚、礼節、敬い」の三つの善の心、「愛し、慈しみ、尊ぶ」という三つの愛の心を忘れていないかどうかを確認していくことも大切になります。

そして神に愛される人間を目指すことで、皆様の心のなかの魂も神への道を順調に進んでいくことができるようになるのです。

# 神に与えられた命と、神に通じる魂の世界

本書の冒頭で述べましたように、私たち人類の住む地球そして大宇宙をも包括する大霊界は連動エネルギーによってつねに変化しており、ほんの小さな地球という天体においても、さまざまな物質や生命体が発するエネルギーの連鎖が、時々刻々といろいろな変動を繰り返しています。すべての物体、生命体がエネルギー体であることも述べましたね。

そしてまた、私たちの肉体や頭脳、心が発しているエネルギーが、自然界の働きと同様にさまざまな形で結びつき、あるいは反発し合い、そうして人間関係も成り立っているわけです。愛や慈しみ、あるいは謙虚、礼節、敬いなど善の心（想念）は人々を幸せへと導きます。憎しみや怒り、あるいは傲慢、高姿勢、プライドなどの悪の心（想念）は人々を不幸へと導いていくのです。

この大宇宙の広がりの歴史は、神の意志によって起こされたビックバンによって始まり、百五十億年余という気の遠くなるような歳月を経て、地球という天体の上

に肉体や頭脳のみならず、心（魂）を持つ人類という生命体を発生させました。神はこの人類の出現を心待ちにして、自らのエネルギーを大霊界にあまねく放射し続けてきたのです。

私たち人間が神の子であるという考えは、古くから人々の想いのなかに育まれてきましたが、人類の発生が神の望まれたことであるとすれば、それは当然のことだと言えるでしょう。私たちの命は神によって与えられ、その命に内在する「魂」の存在こそが私たち人間が神の子であることの証なのです。神は私たちの魂が現世での修行を成し遂げ、清らかな神に通じる想念エネルギーによって親様である神の御許へ帰ってくるのを、限りなく深い愛の御心で見守ってくださっているのです。

「魂こそが真の「自分」であり、魂こそが神霊の世界につながっている」

これは日神会の教えの基本であり、その魂を神の御許へと導くためにこそ、私たちは布教活動を続けているのです。

日神会が行う天界道儀式は、苦しみに耐えかねて人間に憑依してきた霊を神のエネルギーによって浄化、救済し、そのことによって取り憑かれた人間の心身の痛み苦しみを解消するというものですが、さらに大きな目的はその人間に内在する魂をも浄化、救済するというものなのです。

神の心と動物の心、悪魔の心という三つの心を持つ人間は、その三つの心のせめぎ合いに苦しみながら現世での修行を続けているわけです。そのことに気づかない人であっても、あまりの不運、不幸に遭遇したときには思わず神にすがり、神に救いを求めると思います。

『神よ、どうかこの苦しみから私を救ってください』

三つの心を併せ持つ人間であれば、この神への願いは誰もが一度や二度は持ったことがあると思います。手を合わせて神に祈り、あるいは天を見上げて「神様！」と訴える。神の子であるからこそ、親様である神にすがるのです。

この世に存在する生命体であれば、どんな生物でもいずれは死を迎えます。人間もいつかは肉体の死と向き合うことになります。どれほど一生懸命に健康管理を行い、どんなに最新の医療を受けたとしても死は必ず訪れます。肉体がその生命エネルギーを使い果たし、穏やかに天寿をまっとうすることがもっとも幸せな死の迎え方ですが、どのような死に方をするかを選ぶことはできません。

しかし、つねに神を想い、神を信じ切って祈りの生活を送っている人は、決して死を恐れることはありません。肉体は死を迎えても、魂だけは永遠の命を与えられています。肉体という重い衣を脱ぎ去った魂は、清々しい想念を持つ霊体として霊界の入り口である幽界からすうっと上界へと進み、ついには霊界の最上階である天界神聖界、すなわち神の御許へ帰っていくのです。

ところが逆に、神や霊の存在を信じることなく、勝手気ままに人生を送った人の場合、その人の魂は悪想念に汚されたままですから、自分の肉体が滅びたことにさえ気づかず、幽界をさ迷い続け嘆き悲しむばかりとなります。とくに傲慢、高姿勢、プライドという強い悪心を抱いていた人の魂は、幽界に入るとすぐに下方霊界、ひいては地獄界へと堕ちていってしまいます。阿鼻叫喚（あびきょうかん）の地獄界……。その辛さと苦しみのために、そうした霊が人間界へと舞い戻って現界の人間に取り憑くことになるわけです。自らの子孫ばかりでなく、エネルギーの波長さえ合えば無関係の人にまで憑依して痛み苦しみを与える、そんな悪霊に皆様はなりたくないと思われるでしょう。当然です。悪のエネルギーの連鎖は絶ち切らなくてはなりません。

# 神のお力を戴く方法

前章（Ｐａｒｔ４）で私は、人間に取り憑いてくるのは、地獄界に落ちた低級霊だけでなく、長いあいだ地獄界の奥底でうごめいていた悪のエネルギーが固まりとなって発生した悪魔の存在もあるということを述べました。ふつうの取り憑きとは明らかに異なる、強大な憑依力をもって私たち人間に襲いかかってくるこの悪魔に打ち勝つため、私は以前から天界神聖界の神々のお力を戴き、私の心身に悪魔を呼び込んで対峙し、業を重ねてきました。そして開発したのが、「天界道神技」であり「聖刹那神技」なのです。

それではどのようにして神に祈り、お力を戴けばいいのでしょうか。具体的に説明していきましょう。

## 天界道神技

① 静かな部屋に座り、リラックスした心でゆったりと呼吸をする。
② 右手の親指をほかの四本の指で軽く握ったこぶしをつくり、自分の胸、みぞおちの上約五センチのところに当てる。
③ 目を静かに閉じる。
④ こぶしを当てた胸の箇所に意識を向けて、その部分を想い続ける。「ここにこぶしを当てている」。すると、心がどんどん平和になってくるでしょう。
⑤ こぶしを当てた箇所に意識をおいたまま、「われ、聖の神なり、われ、聖の神なり」と五回から十回、無言で祈り続けます。
⑥ 胸のなかの「神の世界」に真っ白くキラ〜っと輝く「聖」の文字を描き、「聖なる御魂親様」がいらっしゃると信じ切ります。
⑦ そして「聖の親さ〜ん、偉大なる超神霊のお力を私にください。お願いしま〜す」、と無言で祈りながら、吸(す)いの呼吸で超神霊エネルギーをどんどん引いていきます。

## 聖刹那神技

①　座って、右の親指を四本の指で包んでこぶしをつくり、みぞおちの上約五センチのところ、もしくはひざの上におきます。

②　目を閉じて胸の世界に真っ白くキラ～っと輝く「聖」の文字を描き、「聖なる御魂親様」がいらっしゃると信じ切ります。

③　「聖の親さ～ん、偉大なる超神霊のお力を私にください。お願いしま～す」と無言で祈りながら、三呼吸、五呼吸、大きく吸いの呼吸で超神霊エネルギーを引きます。

④　そして「聖の親さ～ん、首、肩のこり、〇〇の重い症状を治してください、お願いします！　ウーン！」と、右手のこぶしにグーッと力を込めます。これを三回行います。

神はつねに私たちの胸のなかにいらっしゃる、愛にあふれた身近な存在です。痛み苦しみがあるときだけではなく、自覚症状がないときでも「聖」の文字を描いてお力を戴く習慣を身につけてください。きっと皆様の魂の親様も喜ばれ、さらに向上していかれると思います。

本書をお読みになっている皆様は、すでに自らの魂の存在を知り、神の存在を信じ、明るく、朗らか、生き生きと生活していかれるに違いありません。そして、つねに神を想い、神に祈る日々を送っていかれれば、きっと皆様の魂は霊界に入ったとたんに上界を目指し、まっしぐらに天界神聖界（神の御許）へと昇っていかれるに違いありません。

肉体人間のなかで、善きにつけ悪しきにつけ、日々変化し続けている魂の存在。その魂をどのように育んでいくかは、皆様の心の持ち方次第なのです。そのことも、もう皆様は理解されていることと思います。

家族を愛し、まわりの人を愛し、人様のため、社会のために役立つことをしたいと願い、現にそれを実行してボランティア活動に参加している方もおられるでしょう。

神を愛し、神に愛され、そして肉体を離れた瞬間にすっと親様（神）の御許へストレートに昇っていく魂を育む。それが神の世界に通じる魂を与えられた神の子、人間としての望ましく正しい生き方なのです。

神に与えられた命を大切にし、神に愛される心（想念）のエネルギーを発動して生きる……。皆様がこのような善き心の持ち主として、幸せな今後の人生を送られるように私は心から願っています。

人類が誕生して以来、人間が発してきた何億、何十億のマイナス想念の固まりが悪魔を生みだした

悪魔をつくりだしたのは人間の心

人間の傲慢、高姿勢、プライドの「三悪の心」のエネルギーが悪魔をつくりだしたのです

えー怖いわね

悪魔が喜ぶ三悪の心とは
「傲慢、高姿勢、プライド」
うるさい
だまれー
ヘタクソ
バカ
私が
一番
フン、あたしは
名門大学卒業よ
このような態度は
悪魔が一番喜び
神がもっとも嫌われる
生き方ですね
ワシにも思い
当たることが…
こんなことは世の中に
いっぱいあるよね
あたしなんか自分中心に
なんでも考えてしまうから

神が好まれる
「三善の心」とは「謙虚、礼節、敬い」
「三愛の心」とは「愛し、慈しむ、尊ぶ」
すごい
立派です
それほどでも
ありがとうございます
坂道はボクがかわりましょう
たすかります
どうぞ
自分よりも相手を大切に思うことだね
神は「愛」そのものですから困っている人や弱い人を第一に考えてあげることが神に愛される生き方です

私たちは三つの心「神の心」「動物の心」「悪魔の心」を持ちこの世に生を受けて生活しているのですから時には悪想念や悪のエネルギーを相手にぶつけるのは仕方のないことです
大切なことは悪想念がでたあと、胸にいらっしゃる魂の親様にしっかりとお詫びして反省することですね

そうか、ボクたちが「動物の心」と「悪魔の心」を持つのは神が人間に課した厳しい修業なんですね！

そうだわ

悪しき想いがでたら即座に聖刹那神技（強制除霊法）で払いのけましょう

神は私たち人間が現世にあるうちにしっかり自覚を持って自らを成長させ美しく清らかな心を育て魂のみの存在となった暁には一直線に神の御許に昇ってくるようにと心待ちされているのです

霊のエネルギーは確実に存在します
心もまた目に見えないエネルギーの
波動を放射しています
私たち人間だけに与えられた心（魂）
ですから間違っても心を悪の方向へ
発動させてはなりません
あくまでも「善の心」「愛の心」の
エネルギーを周囲に流し、与え、
良き人間関係、良き社会、
良き世界への道を目指して
生きなければなりません
痛み苦しみがないときでも
「聖」の文字を胸の精神世界に
描いて神のお力を戴く習慣を
つけられてください

隈本聖二郎

# おわりに

本書を最後までお読みくださった皆様、いかがでしょうか。あなたの心の支えとなるものを得ることはできたでしょうか。

大霊界はすべてがエネルギーの連鎖で成り立っています。身近な例を言えば、太陽はもちろんエネルギー体であり、地球などの惑星や月などの衛星もエネルギー体であり、地球上の石油や石炭も、電気も電波も、酸素も二酸化炭素も水も空気も、動植物という生命体もすべてエネルギー体です。私たち人間も例外ではありません。

そして、神や霊はエネルギーだけの存在であり、人間の肉体に内在する魂も神や霊と同様にエネルギーのみの存在です。エネルギーはその働きの結果を見ることはできても、エネルギーそのものを見ることはできません。同じように神も霊も魂も目に見える存在ではありません。時に霊のわざわいがいろいろと起きるように、霊のエネルギーは確実に存在しますし、その霊の障りが日神会の天界道神技や聖刹那神技によって解ける神のエネルギーも確実に存在しているのです。

また、私たちの肉体や頭脳はもちろんのこと、心もまた目に見えないエネルギーの波動を放射しています。善き心の波動、悪しき心の波動、それらを発動させることで人々の心はぶつかり合い、絡み合ってさまざまな感情を生み出し、愛し合ったり、憎しみ合ったりしながらさまざまな人生模様、人間模様を生み出しているのです。

人間には神の心と動物の心と悪魔の心の三つの心が同居していますから、いろいろなことで悩んだり苦しんだりするのは人間として当たり前のことです。どんなに穏やかな人でも、ときには怒りを爆発させることはあるでしょうし、どんなに慎重な人でも、ふと魔がさして間違いを犯してしまうことはあるでしょう。

肉親や親友の死に直面すれば、どんなに明るい性格の人でも悲しみに襲われ、涙を流して慟哭（どうこく）することでしょう。あるいは、いつも冷静な人でも、思いがけない天災や大惨事を目にすれば、気が動転して心が揺れ動くことでしょう。

喜怒哀楽というように時々刻々揺れ動く人の心。その心が他の人や自分自身の魂を傷つけ、悪しき想念で魂を汚してしまうこともあるでしょう。

神はそうした心の葛藤を乗り越えて神への道を歩む人間を愛されます。

本書で述べたように神の御心は愛に満ち満ちています。神のエネルギーは愛そのものであり、神を信じ、神を愛し、神に愛される人間となるために、私たちは心（魂）を与えられているのです。

目に見えないからといって神や霊の存在を信じない人は、自らの心の葛藤から逃れることはできません。神の愛の御心、すなわち神のエネルギーを戴いてこそ、私たち人間は、私たちの魂は救われるのです。

私たち人間にだけ与えられた心（魂）ですから、そのエネルギーの波動を間違っても悪の方向へ発動させてはなりません。あくまでも善の心のエネルギーを周囲に流し、与え、良き人間関係、良き社会、良き世界への道を目指さなくてはなりません。

家族を愛し、人様を愛し、自らの住む社会を愛し、人類世界を愛し、そして神を愛して神に愛される人間となるよう、皆様には明るく、朗らか、生き生きと、そして魂を大切に育みながら日々を過ごしていただきたいと思います。

なお、本書を読まれて疑問や質問などがございましたら、日神会の長崎聖地あるいは東京聖地へご連絡いただければ幸いでございます。また、本書によって初めて日神会のことを知ったという方は、ぜひ一度来会されて、神のエネルギーに満ち満ちた聖礼拝堂で神のエネルギーにふれてみていただきたいと思います。

皆様の魂の親様がより良いエネルギーを発しながら成長し、いずれは天界神聖界（神の御許）で自らも高き神霊となられることを、心からお祈りしています。

令和五年十二月

日本神霊学研究会　神主聖師教　隈本聖二郎

［著者プロフィール］

## 隈本正二郎（くまもとしょうじろう）　法名　聖二郎（しょうじろう）

1965（昭和40）年、長崎市に生まれる。父、隈本確と同様、少年時代より数々の霊的体験をもつ。二十歳の頃より日本神霊学研究会の初代会長隈本確教祖のもとで神霊能力者の修行を重ね、神霊治療の実践と研究を行ってきた。現在は、初代教祖隈本確の跡を継ぎ、日本神霊学研究会の聖師教を務め、神霊治療と若き神霊能力者の指導・育成にあたっている。著書に『神と霊の力―神霊を活用して人生の勝者となる』『神秘力の真実―超神霊エネルギーの奇蹟』『神・真実と迷信―悪徳霊能力者にだまされるな！』『大霊界真書』『神と霊の癒―苦しみが喜びに変わる生き方』『マンガでわかる大霊界（原案／脚色）』『霊媒体質の克服―幸せを呼ぶ守護神を持て』『隈本確全著作解題〈全三巻〉（編纂／解説）』『大霊界 天界道シリーズ①大霊界 神と魂―「神の子」「神の命」であられる貴方へ』『大霊界 神霊学用語事典（監修）』『大霊界 天界道シリーズ②生と死と神と大霊界』『大霊界 天界道シリーズ③神の道』『マンガでわかる大霊界 神と魂』（原案・脚色）（展望社）がある。

大霊界 天界道シリーズ④

# 神と悪魔


二〇二四年一月二十二日　初版第一刷発行

著　者――隈本正二郎
発行者――唐澤明義
発行所――株式会社展望社

郵便番号一一二―〇〇〇二
東京都文京区小石川三―一―七
　エコービル二〇二
電　話――〇三―三八一四―一九九七
ＦＡＸ――〇三―三八一四―三〇六三
振　替――〇〇一八〇―三―三九六二四八
展望社ホームページ http://tembo-books.jp/

印刷・製本――株式会社東京印書館

定価はカバーに表示してあります。
落丁本・乱丁本はお取り替えいたします。




ISBN978-4-88546-434-8

日本神霊学研究会 聖師教
隈本 正二郎
最新刊
大霊界 天界道シリーズ②
生と死と神と大霊界
神と共に生きる 貴方の魂の嘆きと苦しみを…
神と共に生きる
貴方の知恵は…
肉体は…
そして
心は…
どのような道を
歩んでいるのか
私には感じる
貴方の魂の
嘆きと苦しみを…
大霊界 天界道シリーズ②
生と死と神と大霊界
神と共に生きる 貴方の魂の嘆きと苦しみを…
隈本正二郎
Kumamoto Shojiro
主な内容（目次から）
part.1 なぜ人は神に祈るのか
part.2 人はどのように生きたらよいのか
part.3 永遠の神への祈り
part.4 肉体死後は真っ直ぐに天界神聖界へ──
part.5 永遠なる大霊界への旅立ち
●ISBN978-4-88546-391-4 ●四六判上製／定価1650円（本体1500円＋税10%）

# 隈本確（日神会教祖）の偉業が全三巻に凝縮！

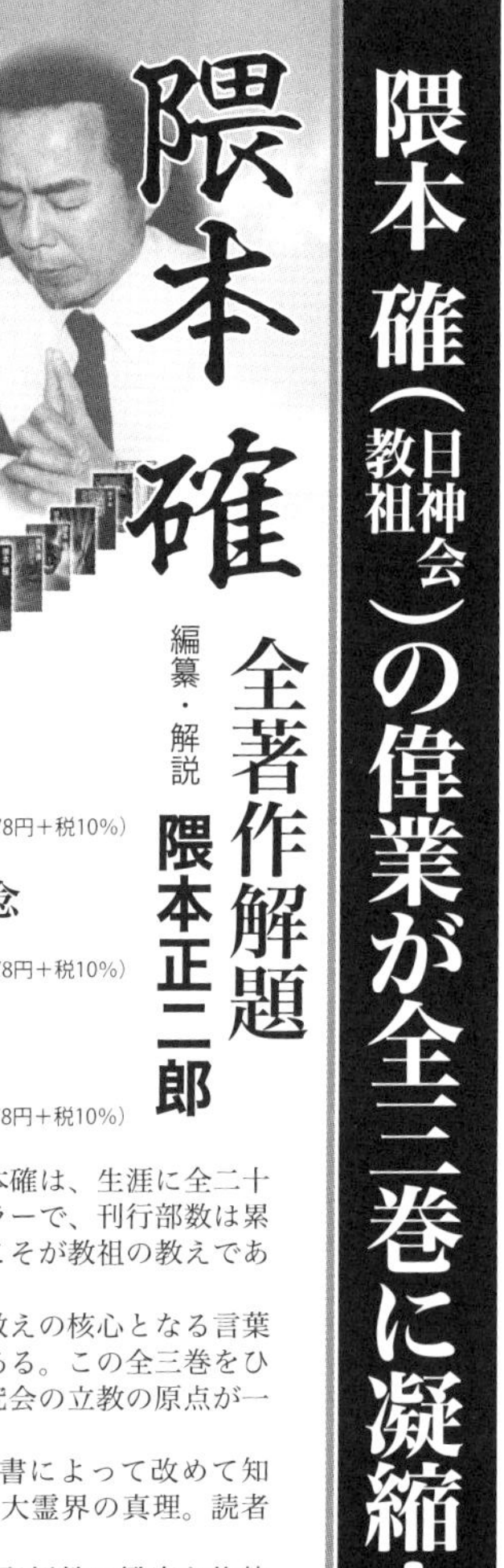

# 隈本確 全著作解題

編纂・解説 **隈本正二郎**

■A5判上製
■布装・函入

**第一巻　大霊界の認識**
— 守護神と超神霊 —
●ISBN978-4-88546-346-4　●定価 3056円（本体 2778円＋税10%）

**第二巻　神霊治療と霊障の概念**
— 神と医の奇跡 —
●ISBN978-4-88546-347-1　●定価 3056円（本体 2778円＋税10%）

**第三巻　迷信と地獄の考察**
— 悪霊と魔界の仮説 —
●ISBN978-4-88546-348-8　●定価 3056円（本体 2778円＋税10%）

宗教法人日本神霊学研究会の教祖隈本確は、生涯に全二十冊の著書を遺した。いずれもベストセラーで、刊行部数は累計二百数十万部を数える。この全著作こそが教祖の教えであり、人間救済の悲願が込められている。

本企画は教祖隈本確の全著作から、教えの核心となる言葉を抜粋し、その文言を解説するものである。この全三巻をひもとけば、教祖の精神と日本神霊学研究会の立教の原点が一目瞭然に理解できる。

大ベストセラーを凝縮、解題した本書によって改めて知る神霊エネルギーの偉大さと深遠なる大霊界の真理。読者よ、今こそ開眼すべし。

全三巻は、第二代教主、隈本正二郎聖師教の緻密な抜粋と懇切な解説によって作成された。二十冊の思想の根源がここに結実！